Андрей КИВИНОВ
Клюква
в шоколаде

ИЗДАТЕЛЬСТВО
МОСКВА
Санкт-Петербург
«Астрель-СПб»

Владимир

УДК 821.161.1
ББК 84 (2 Рос = Рус)6
К38

Серия «Знак качества»
Серийное оформление: *Дмитрий Райкин*
Дизайн обложки: *Ю. Межова*

К38   **Кивинов, А.**
Клюква в шоколаде/А. Кивинов. – М.: АСT; СПб.: Астрель-
СПб; Владимир: ВКТ, 2010. – 220, [1] с. – (Знак качества).

ISBN 978-5-17-063100-1 (ООО «Издательство АСТ»)
ISBN 978-5-9725-1670-4 (ООО «Астрель-СПб»)
ISBN 978-5-226-01640-0 (ВКТ)

Преступления во имя любви. Любовь — для совершения преступлений. Все бывает в этой жизни. Последствия непредсказуемы. Зато не-
скучно.

УДК 821.161.1
ББК 84 (2 Рос = Рус)6

Подписано в печать 14.09.09.
Формат 60x90¹/₁₆. Усл. печ. л. 14,0.
Тираж 5 000 экз. Заказ № 1412и

Общероссийский классификатор продукции
ОК-005-93, том 1; 953000 – книги, брошюры

Санитарно-эпидемиологическое заключение
№ 77.99.60.953.Д.009937.09.08 от 15.09.2008 г.

ТРИ МАЛЕНЬКИЕ ПОВЕСТИ
О ЛЮБВИ

ИНТЕРВЬЮ

— Я люблю тебя...

Нисколько в этом не сомневаюсь. Антон не умеет притворяться. По крайней мере передо мной.

Я тоже. Перед ним.

Я чмокаю его в небритую щеку, хватаю сумочку и выбегаю за дверь. Он кричит с порога:

— Позвони, я буду дома.

— Хорошо,— отвечаю я с площадки,— позвоню.

Я не знаю, когда вернусь, интервью может затянуться, все-таки персона VIP. Они все занятые, эти персоны, и вечно опаздывающие. Особенно те, кто с политическим уклоном. Но ничего не поделать, я заинтересована в разговоре, приходится подстраиваться. Редакторскому заданию в зубы не смотрят. В конце концов, это моя работа.

Наверное, я зря нацепила эти ажурные колготки. Они ужасно мешают разговору. Юрий Сергеевич вынужден постоянно отвлекаться, а потому все время сбивается с мысли. Вот и сейчас. Ссылается на слабеющую память и сумасшедший денек. Да какая там слабеющая память, вам еще и сорока нет, Юрий Сергеевич. И денек не может быть сумасшедшим, он только начался. Я не тороплю. Вставляю в мундштук «Парламент», прикуриваю. Поправляю юбку.

— Видите ли, Жанна,— Юрий Сергеевич нехотя отрывает взгляд от колготок и возвращается к разговору,— проблема, которую вы хотите затронуть, слишком серьезна, и ее нельзя осветить в течение часа.

— У меня время не ограничено...— Я беру со стола изящную фарфоровую чашечку и делаю маленький глоточек. Затем облизываю кончиком языка краешек, чтобы не осталось следов помады.

— Да, у вас — конечно. Но дело даже не во времени. Здесь надо прочувствовать ситуацию, понять ее кожей. Даже я, человек, которого считают профессионалом, не взялся бы изложить свою точку зрения на бумаге. Поверь, тут еще очень много темных пятен. Люди будут смеяться, не говоря уже о судебных исках.

Я не обращаю внимания, что Юрий Сергеевич перешел на «ты».

— Мне нет нужды углубляться в подробности,— возражаю я, поправляя лямочку лифчика, нечаянно выглянувшую в декольте.— Моя задача только поднять проблему, расставить акценты. Читатель сам сделает выводы. Этим журналистика и отличается от строго документальной прозы. А вы ведь действительно профессионал, Юрий Сергеевич, и к тому же человек с именем. Зачем нам ковыряться в каких-то цифрах, сводках и отчетах? Все равно там отражена лишь надводная часть айсберга, все остальное, самое интересное, откладывается в голове. А меня привлекает именно эта подводная половинка. Я никогда не поверю, что вы планируете свои действия, опираясь только на отчеты.

— Ну и напрасно, Жанна. Отчеты вполне объективны. В целом. Конечно, ты права, есть и небольшая подводная часть, но...

— Ой, Юрий Сергеевич, я прекрасно вас понимаю. Вы несете ответственность за каждое свое слово.

— Вот именно, Жанночка, вот именно. Каждое мое слово стоит дорого. Я — публичная персона. Любая ссылка на меня должна быть тщательно продумана и взвешена. И не должна допускать никаких трактовок. Черное — это черное, белое — белое.

— Но ведь мы же договорились — все, что можно озвучить, вы сами подчеркнете. Я никогда не опубликую текст, не дав вам ознакомиться с ним. А все, что вы скажете мне конфиденциально, если и будет опубликовано, то без всяких ссылок на источник. Это же элементарно. Я тоже, в некотором роде, профессионал.

Юрий Сергеевич в глубоком раздумье уставился на мои колготки. Все-таки зря я натянула мини. В следующий раз оденусь строго.

— И тем не менее, Жанночка, здесь не та обстановка. Казенные стены, твой диктофон. А то, чем я мог бы поделиться с тобой...

— Никаких проблем.— Я положила мундштук и выключила «Панасоник».— Это ведь не более чем инструмент, чтобы ничего не упустить.

— Для тебя — да, инструмент. И все же... то, о чем я могу рассказать, касается весьма влиятельных лиц, и я вынужден подстраховаться.

Включился селектор — мелодия Моцарта в исполнении микрочипа.

— Извини,— Юрий Сергеевич снял трубку.— Да, Алла. Так. Передай ему, пожалуйста, что у меня люди и я пока занят. И не соединяй ни с кем... Ну, где-то через полчаса. Спасибо.

Юрий Сергеевич повернулся обратно ко мне:

— Может, еще кофейку?

— Нет, спасибо, Юрий Сергеевич.

— Минералочки?

— Хорошо. Если не сложно.

— Ну что ты, Жанночка.

Юрий Сергеевич крутанулся в кресле, бойко вскочил и сделал пару шагов к небольшому холодильнику. Выглядел он подтянуто и стильно, чувствовалось влияние женской руки. Не то что мой упрямец Антоша — сколько ни говори о культуре гардероба, все равно может пойти на работу в черном костюме, красном галстуке и зеленых ботинках. Антон, как и я,— журналист, а наша работа, как и театр, начинается с гардероба. Тем более когда общаешься с «дорогой» клиентурой.

Вот Юрия Сергеевича убеждать в необходимости правильно одеваться не надо, все на месте, все в меру. Галстучек нужного колора, куплен не в подвальном шопе и не в галантерейной лавке. Минимум в «Бабочке», баксов триста, если не пятьсот.

— Пожалуйста.

Пузырьки побежали вверх вдоль высоких стенок стеклянного бокала. Юрий Сергеевич налил и себе.

— Дело в том, Жанночка, что речь идет о весьма серьезных вещах. Коррупция, расхищение бюджетных средств... Очень важные персоны. Хотя я, честно говоря, не боюсь, нет. Просто, пойми меня правильно, я не совсем уверен, что мне следует доводить данные сведения до прессы. Посуди сама, массовый читатель, может, и не догадается об источнике, но лица заинтересованные... Зачем мне это надо?

— А как же гражданский долг, совесть? — Я поставила стакан и закинула ногу на ногу.— Мы кричим, что хотим добиться перемен, что-то изменить в собственной жизни. Но когда нам представляется такая возможность, почему-то сразу прячемся в кусты. Вы ведь не такой, я давно слежу за вами. Как политик, да и как человек, вы мне очень импонируете.

— Спасибо, Жанночка.— Юрий Сергеевич не стал возвращаться за рабочий стол, а сел в кресло рядом со мной.— Я не отказываюсь выполнять свой гражданский долг, я, собственно, его всегда выполняю. По мере сил.

Повеяло ароматом Франции — Юрий Сергеевич не жалел средств на парфюм высшего номера.

— Но каждый шаг настоящего политика должен быть выверен с точностью до миллиметра. Бесцельных либо опрометчивых шагов допускать никак нельзя.

— А вы продемонстрируйте свою точку зрения! — Я пристально посмотрела в глубоко посаженные глаза собеседника. Он не смог выдержать моего взгляда и уставился на бутылку минералки.— Разве это вам помешает? Наоборот! Вас будут уважать и любить еще больше.

Юрий Сергеевич по-отечески улыбнулся:

— Не все так просто, Жанночка, ты слишком молода и в силу этого смотришь на вещи с несколько другого уровня.

— Ну, не так уж и молода,— надула я щечки.— Скоро двадцать пять.

— О-о-о! — рассмеялся Юрий Сергеевич.— Когда доживешь до моих тридцати семи, поймешь, что двадцать пять — это просто детский возраст. Эх, где она, молодость?

По данным адресного бюро, Юрию Сергеевичу в мае стукнуло тридцать девять, но я, разумеется, вежливо промолчала. Впрочем, и мне, если честно, уже не двадцать пять...

— Поэтому, прежде чем сделать шаг, я задаю себе вопрос — а нужно ли мне это? Действительно ли необходимо, чтобы люди знали? Не будет ли от этого хуже? Я тебя прекрасно понимаю, Жанночка. Для тебя на первом месте сенсация-скандал. Это твой хлеб, твоя нива. Но ведь я перво-наперво деловой человек, мой хлеб — в точном расчете. Надо смотреть на вещи глубже.

Юрий Сергеевич в настоящую минуту смотрел не на вещи, а на мое декольте. Так глубоко, что от его взгляда раскалилась моя цепочка с кулончиком.

— То есть вы не заинтересованы в публикации на эту тему? Очень жаль. Тогда посоветуйте, к кому я могу обратиться за помощью. Так или иначе, но я не собираюсь бросать начатое.

— Нет, Жанночка, нет, я разве сказал, что не заинтересован? Очень заинтересован, но... Наверное, это все-таки лучше обсудить не здесь. Здесь даже у холодильника есть уши, не говоря про стены.

— Неужели все так серьезно? — вполголоса спросила я.

— Я мог бы рассказать о таких вещах, которые вызвали бы не просто скандал. Например, про...

Юрий Сергеевич прервался и приложил палец к губам.

— Нет-нет, здесь я больше не скажу ни слова.

— Хорошо, тогда давайте встретимся еще раз. Где-нибудь на улице, в кафе... Там, где нас никто не сможет подслушать.

— Боже милостивый, неужели я в двадцать пять был таким же? Ты еще ребенок, Жанночка, а просишь, чтобы я рассказал тебе о государственных тайнах.

— Коррупция — это государственная тайна? По-моему, это преступление.

— Смотря в каком государстве. Знаешь, Жанна, я получаю от нашей беседы какое-то непонятное удовольствие. В тебе есть что-то очень детское, чистое... Я давно не встречал таких людей. В политике, в бизнесе столько грязи, столько мерзости. Ужасно устаешь, хочется взвыть, спрятаться, убежать. А человеку ведь необходимы и положительные эмоции. Должен быть баланс плюсов и минусов. А где их взять? Друзья уже не относятся к тебе как к другу, ибо ты пребываешь в ином измерении, в семье в тебе видят не мужа и отца, а фамилию и кошелек. Иногда так хочется выплеснуть свои чувства, направить на кого-то добрую энергию, в конце концов, поговорить искренне!

В порыве откровенности Юрий Сергеевич нечаянно двинул кресло в мою сторону, и его руки очутились в опасной близости от моих ног.

— Неужели у вас нет такого человека? При вашем могуществе, деньгах, уважении? В это трудно поверить, Юрий Сергеевич.

— Увы, это так, Жанночка. Да, я богат, но деньги здесь ни при чем. А положение, наоборот, не приближает ко мне людей, а отталкивает их. Меня стали бояться, передо мной лебезят, бегают на цирлах. А разве можно с такими людьми делить горечь или радость?

— Да, это ужасно, никогда бы не подумала, что вы одиноки.

— Ужасно одинок.

Юрий Сергеевич поднес руку с часами к глазам — вероятно, он был близорук. И, скорее всего, по той же близорукости опустил руку мне на колено.

— Однако время, Жанночка. Прости, что я с тобой разоткровенничался, но иногда это так необходимо.

— Я понимаю вас, мне порой тоже бывает одиноко. И все-таки, вы не хотите дать мне сведения?

— Вот и ты, Жанна, видишь во мне только источник информации. Это до слез обидно. Ну хорошо, я расскажу тебе пару историй, но, конечно, не здесь. И не в кафе, и не в парке.

— Да-да, я подъеду куда скажете.— Юрий Сергеевич убрал руку с моей ажурной коленки.

— Я тебя сам заберу. Сегодня в шесть подходи на угол Лиговки и Разъезжей. У меня темно-синяя «вольво», сразу увидишь.

На всякий случай я решила уточнить:

— А куда мы поедем?

— Есть у меня неплохое место на примете. Там спокойно, уютно. Никто не помешает и не подслушает. И главное, там приятно просто отдохнуть. Я лично под вечер ужасно устаю. Тебе понравится.

— Вообще-то для меня главное материал... Хотя я тоже не железная. Иногда так хочется абстрагироваться.

— Ну и договорились. Ой, кстати,— легко рассмеялся Юрий Сергеевич.— Мне почему-то вспомнился Северянин. Ты любишь Игоря Северянина?

— Может быть, я не читала.

— Напрасно. Вот эти строки:

> Она отдалась без упрека,
> Она целовала без слов,
> Как темное море глубоко,
> Как дышат края облаков...

Юрий Сергеевич поднялся с кресла и вернулся за стол. В глазах появился озорной мальчишеский блеск. Целебная сила минералки.

— А нам хватит времени? — Я тоже поднялась и поправила локон, который до этого накручивала на палец.— Я не слишком обременяю вас?

— Если не хватит, можно встретиться еще раз. К примеру, я могу рассказать о... Вот когда встретимся, тогда и видно будет. И многое, если не все, зависит, Жанночка, только от тебя.

— Я постараюсь, Юрий Сергеевич.— Я взяла диктофон и спрятала его в сумочку.— Тогда до шести?

— До шести, Жанночка. Да, и еще... Надеюсь, все сугубо...

— Конечно, Юрий Сергеевич.

* * *

После вечерней встречи Юрий Сергеевич подкинул меня до метро. Предлагал до дома, но я решила проветриться и прогуляться пешком. До закрытия станции оставалось десять минут, и я как раз успеваю.

Мы с Антошкой живем в «спальнике», далековато от центра, зато экология.

Я попрощалась с Юрием Сергеевичем, поблагодарила и спорхнула в подземный переход. Материалы, в самом деле, оказались любопытными и, главное, скандальными. Кое-где кое-что подработать, перепроверить — и в печать. Дня три работы. А гнездышко вполне, на уровне VIP...

В окне нашей квартиры горит свет. Антошка не спит. Ждет меня. Или ковыряется со своей техникой. Он у меня радиолюбитель. Говорят, экстракласса. Журналистика для него так, случайные заработки. Печатается он не часто, в основном в технических журналах.

Перед подъездом — наша старенькая зеленая «копейка». «Лягушонок», как я его называю. Подарок Антошкиных предков. Копим на «девятку».

Я поднимаюсь в лифте. Ужасно хочется спать.

— Раньше, до финансового кризиса, в критические дни я ломала голову над проблемой выбора прокладок: «Олвейз», «Либресс», «Тампакс»... Иногда даже приходилось комбинировать. Но теперь такой проблемы передо мной не стоит. «Ватта»! Надежно, просто и сухо. Я могу играть хоть в мяч, кататься в лифте, стоять в очереди — теперь мне уже все равно. «Ватта» заботится о нас...

— Убавь звук, пожалуйста, сбивает.— Я вытянула руку с «лентяйкой» и уменьшила громкость.

— Двадцать три, двадцать четыре, двадцать пять...— Антошка пересчитывал купюры, складывая их стопочкой. Закончив, перетянул резинкой и спрятал в маленький сейф.

— Как в аптеке.

— Конфузов не было? — спросила я.

— Как видишь. Да их в принципе не могло быть. Все эти персоны VIP начинают трястись, как эпилептики, когда речь заходит о репутации. Ни в ментуру, ни к братишкам не побегут. В ментуру сунешься — засветка, к братишкам — себе дороже. А так отмаксал «Франклинами» — получил кассету. За все надо платить. Стишки читать мы все горазды, а коснись чего... Сначала, правда, плакался насчет кризиса, мол, валюты нет, всю сдал. Я долго не уговаривал. Сказал, что у других наверняка есть. Заплатят с радостью.

— А вообще он как?

— Ну, поохал, конечно... Сейчас, наверное, обслугу в сауне строит и кирпичи разбирает в поисках видеокамеры. Тебя-то он вряд ли будет искать, ведь не ты же ему стишки читала. Тем более что на кассете ты тоже в полный рост... Классно работаешь. Как в кино.

— Ничего получилось?

— Да, но в следующий раз клади сумочку поближе. Особенно когда плохое освещение. Дай ее сюда, кстати.

Антоша взял мою сумочку и открутил замок. Осторожно извлек «глазок» и переложил его в специальную коробочку.

— И поосторожнее. Вещь хрупкая, сумкой попусту не размахивай. И еще. Когда в тачке едете, ты клиента разговорчиками отвлекай, а то ведь на нашем «лягушонке» только и гоняться за всякими «вольвами»... Вот на «бээмвэшку» скопим, тогда... Ну надо же, и этот козел тебя в сауну потащил.

— А куда еще-то? Не домой же и не в гараж. Вообще, у них никакой фантазии. Давайте отдохнем, давайте отвлечемся... Ну и шел бы отдыхать в Парк культуры и отдыха. На карусели.

— Так зачем тут фантазировать? Они люди занятые, фантазировать некогда... Ужинать будем?

— Да, я умираю с голоду.

— Тогда к станку. А я пока аппаратуру из машины заберу, чтобы не свистнули, да мускатика твоего любимого возьму. Отметим.

Антошка уходит. Я иду на кухню. Режу сыр и помидоры. По радио плачутся про кризис. Надоело. Я выключаю.

С сенсацией я, пожалуй, повременю. Дорог шампунь к перхоти. Тем более что газета платит по старым, докризисным ценам, которые и раньше были очень невысокими.

На завтра договорилась о встрече с эстрадной звездой. Интервью. Надо еще успеть погладить новое платье. По одежке встречают...

Возвращается Антошка. Мы садимся за стол, зажигаем свечу, разливаем по бокалам мускат.

— Я люблю тебя.

Нисколько в этом не сомневаюсь. Антон не умеет притворяться. По крайней мере передо мной.

Я тоже. Перед ним.

ЛИЧНОЕ ДЕЛО

Леночка полила кабинетный кактус, спрятала в угол бутылку и опять начала донимать Марину:

— Маришка, да не будь ты дурой-то. Какие угрызения, ты что? Он, гаденыш, жизнь тебе испортил, а ты тут про совесть говоришь. У тебя сейчас такой шанс! Не хочешь — передай дело мне, я уж доведу этого красавца до Сибири. На совесть отработаю. Другие дела брошу, но здесь оттянусь!

Марина посмотрела на подругу-коллегу.

— Я тоже хочу на совесть. А ты не задаешься вопросом — почему это дело отписали именно мне, а?

— Да случайно! В отделе сотни дел! У нашего шефа, по-твоему, «Пентиум» вместо головы, чтобы помнить, кто с кем тра... Кто кого любил, точнее.— Леночка отличалась врожденной прямотой и, как правило, рубила сплеча.— Это чистое везение! И не раздумывай ты. Печатай постановление на арест, дуй к прокурору за санкцией, и пускай Сережа вместо Сан-Тропе едет на Арсенальную набережную отдыхать. Там тоже ничего курорт. Загорит и поправится. Правда, загар в клеточку будет. А еще я оперу знакомому позвоню, чтобы ему там сауну-парилку с массажем приготовили. Так отпарят, что угорит.

— Прекрати.— Марине надоело слушать Ленкину трескотню.— Дело высосано из пальца, где ни открой — откровенная липа. Любой следак тут же прекратил бы его. Допросить как следует этих вот свидетелей, затребовать кое-какие бумаги, и все — нет состава. Скорее всего, поэтому мне его и расписали. Чтобы я эту «липу» превратила в статью.

— Ну, как хочешь.

Леночка пододвинула машинку и, решив больше не спорить, забарабанила по клавишам.

Марина с минуту рассматривала плакат-календарь Тома Круза, затем снова открыла дело:

«Тов. Макеева М. А. Прошу принять дело к производству, расследовать и направить в суд. Начальник СО [1] подполковник юстиции Карамзин С. П.».

Статья обвинения сто пятьдесят девять, часть первая. Мошенничество. До трех лет.

Здравствуй, Сережа...

...Они спрятались от дождя в подъезде. Дождь застал врасплох, обрушился неожиданно и яростно. Обидно, ведь с утра было так классно.

Сергей схватил Маришку за руку, и они, перепрыгивая через мгновенно появившиеся лужи, устремились к дому.

— Как говорил мой дедушка-эфиоп, это вам не экватор,— Сергей стряхнул воду с головы.— Промокла?

— Не сахарная,— улыбнулась Маришка.— Контрастный душ полезен для сердца.

— Держи,— Сережа снял пиджак и накинул на Маришкины плечи.

— Сейчас дождь смоет все следы,— сказала она, глядя, как капли лупят по стеклу и разлетаются искрящимися осколками.

---

[1] СО — следственный отдел.

— Ах ты, мой следователь...— Сергей обнял Маришку и стал гладить по волосам.— Не можешь без своих бандитских сюжетов. Даже со мной.

— Я не следователь, я только учусь.

— Но взятки помогают нам творить настоящие чудеса,— закончил, рассмеявшись, Сергей.

— Какой ты...

— А что поделать? Все мы на самом деле такие. Просто кто-то умеет преподнести свои грехи в виде добродетели, а кто-то — нет.

Сережа сильнее прижал Маришку к груди.

— Согрелась, малыш?

— Да я и не замерзала. А может, ты и прав. Гораздо противнее, когда грех наряжают в одежды святости. Лучше уж цинично, но искренне...

Маришка положила руки на Сережины плечи. Подъезд больше походил на катакомбы, нежели на парадный вход особняка, принадлежавшего ранее каким-то дворянам. Лестница на второй этаж рухнула, и жильцы перекинули через дыру несколько досок, по которым и добирались до квартир. Впрочем, сейчас Маришка не обращала на окружение никакого внимания. Ей было уютнее, чем в самом роскошном дворце.

Насчет учебы она немножко приврала. Университетская учеба закончилась год назад. В принципе, Марина готовила себя к адвокатской практике. Она считала, что защищать людей гораздо благороднее. Финансовые вопросы будущей профессии основной роли не играли. Родители заботились о единственной дочери, совершенно искренне полагая, что на материальную сторону жизни Марина отвлекаться не должна. Она никогда ни в чем не получала отказа от мамы с папой. Прошлые каникулы провела в Париже. Так было здорово...

В следователи ее уговорила пойти Ленка. Во-первых, за компанию, а во-вторых, чтобы стать классным адвокатом, надо посидеть и в противоположном окопе. Марина подумала и приняла оба аргумента. Вот уже год, как они с Ленкой занимают общий кабинет в следственном отделе районного управления внутренних дел: учебная практика.

С Сережей она познакомилась тоже год назад — на дискотеке в ночном клубе. Он был старше на пять лет. Пробовал себя на ниве коммерческого купечества, закончив торговый институт. На дискотеку его притащил приятель, сам Сергей подобных развлечений не любил.

Под утро он проводил Маришку до дома, а через день пригласил в ресторан. Еще через неделю сказал, что любит ее...

Небо разорвало молнией. К дождю прибавился град. От громового раската Марина невольно вздрогнула и зажмурилась.

— Не бойся,— прошептал на ушко Сережа.— Я никому не позволю тебя обидеть, зайчонок...

После его признания в любви Марина не знала, как себя вести. Сережа был ей симпатичен, даже, наверное, более чем, но любовь, как ей казалось, должна захватывать мгновенно. Хватать и не отпускать. Впрочем, может, это пережитки детства. К тому же существовал еще Костя, сокурсник, долго ухаживавший за ней и не терявший надежды на взаимное чувство. И как знать, если бы не встреча с Сережей...

Костя сох по ней, во всем помогал, даже делал за нее курсовые. Не говоря уже о подарках, покупаемых на деньги, вырученные от торговли газетами по вечерам. Она ничего не обещала Косте, от разговоров на амурные темы уходила, но и категорически не отказывала. Ну любит мальчик, что ж, запрещать ему? Пускай любит. Однако долго так продолжаться не могло, какой-то ответ Косте дать придется. Потом она вдруг поняла, что ей будет ужасно не хватать его, к тому же кто знает, полюбит ли кто-нибудь ее так, как Костя?

Маришка не считала себя красавицей, а вон какие кра́-ли, и те от одиночества страдают... Поди загадай, как там дальше обернется. И она решила, что через неделю осчастливит Костика. И, возможно, себя. Но на другой день Ленка потащила ее в ночной клуб, на дискотеку. Счастья с Костей не получилось.

А после месяца свиданий с Сергеем она уже твердо была уверена, что мгновенная любовь вовсе не обязательна, полюбить можно и через месяц, и через год. У всех это по-разному.

Сережа никогда не заводил разговоров о свадьбе. Как-то однажды, когда она, можно сказать, случайно заикнулась об этом, он поцеловал ее и ответил, что все будет хорошо, надо немного подождать, пока он не встанет на ноги. Бизнес — штука такая, от банкротств и обвалов рубля никто в наше прекрасное время не застрахован, и, прежде чем думать о саночках, надо подумать о горке.

Марина находила в его словах резон и не спешила. Тем более что все было просто замечательно. В том числе и с постельным режимом.

Сегодня они решили прошвырнуться по центру — просто так, без всякой цели. Побродить в обнимочку. Доехали до Невского на метро и отправились выгуливаться, заглядывая в магазины и кафе. Погода баловала редким солнцем, как вдруг — на тебе, дождь, да еще с градом.

Ну и пусть, мелочи это. Главное — Сережа с ней...

...Марина очнулась. Ленка по-прежнему барабанила обвиниловку.

Адвокатом Марина так и не стала. Втянулась, привыкла. Год, второй, третий... Да и все равно уже. Какая разница? Тут хоть Ленка, есть кому при случае на грудь упасть.

Она какая-то более везучая. Что в универе, что на работе, что в личной жизни. Вроде ни ума, ни фигуры, ни лица. А как прет. Замуж за актеришку выскочила. Актеришка был так себе, перебивался с хлеба на воду, в роликах

рекламных снимался да Дедов Морозов на Новый год играл. А потом случайно попал на площадку к всенародно
любимому режиссеру и засветился на большом экране.
Очень удачно засветился. Тоже стал народным любимцем.
Никаких больше Санта-Клаусов. Сейчас почти в каждой
новой киношке отсвечивает. Ленка дочку родила, уже четыре скоро. В декрете не сидела — скучно.

Марина перевернула страницу, стала разбираться в ка-
ракулях дежурного следователя. Постановление о возбуж-
дении, протокол заявления... Дело возбудили вчера. Материал подготавливал опер из ОБЭПа. Косицын. Он принял
заявление, опросил людей, вызвал следователя.

Фабула дела банальна — Сережа взял в долг и не вернул. Сумма, в принципе, внушительная, для потерпевшего
ущерб значительный. Странно, обычно такими вариантами
занимаются опера из уголовки, а не обэпники. Про Косицына по РУВД ходили не самые лестные слухи — взятки,
поборы, заказные уголовные дела. Вполне, вполне — «мерсачок» и «мобилку» от щедрот министерства не купишь.

Прочитав дело первый раз, Марина не поняла, зачем его
вообще возбудили. Следственный отдел завален более серь-
езными составами — грабежи, разбои, кражи. Шеф на последнем совещании сам дал негласную команду — если есть
возможность помирить стороны или свести конфликт к
гражданско-правовым отношениям, дела не возбуждать.
Отправлять людей либо в гражданский суд, либо «разводить» на месте.

А здесь в чистом виде гражданско-правовые разборки, в
деле даже Сережина расписка долговая есть, ну и шел бы
ущемленный товарищ прямиком в суд. Сергей второй
день сидел в ИВС [1], дежурный следак запер его на трое су-

---

[1] ИВС — изолятор временного содержания.

ток. Тоже неясно зачем. Сергей от долга не отказывался. Да, занимал, вернуть обещал, даже с процентами, но в связи с финансовым кризисом не успел. Из-за обвала рубля фирма понесла бешеные убытки, и свободной налички не оказалось. Он позвонил кредитору и объяснил ситуацию. Тот сказал: «Старик, ну какой базар, мы порядочные люди. Конечно, подожду, я все понимаю...» Понимать-то понимает, но тут же в ментуру заяву накатал.

Марина нашла домашний телефон вчерашнего дежурного следователя. Молодой парнишка, всего второй месяц в следственном отделе. Может, по неопытности не разобрался?

— Алло, Миша? Не разбудила? Ну извини. Это Марина Макеева. Я по поводу Измайлова звоню, которого ты по «соточке» закрыл. С чего это ты? Там в чистом виде «гражданка». Ты что, спал на последнем совещании? Шеф икру метал как раз по поводу долговых разборок.

Миша прокашлялся и сонным голосом принялся оправдываться:

— Ага, на это дело сам шеф меня и дернул. Езжай в ОБЭП, говорит, возбуждай мошенничество, Измайлова на трое суток в изолятор. А дельце, согласен, гниловатое. Но раз шеф сказал... Косицын, кстати, травой стелился. Чайку, кофейку, водочки... Так что, Марина Александровна, все вопросы к нашему дорогому и любимому командиру.

Марина сказала «спасибо» и положила трубку.

— Ну что? — оторвалась от клавиш Ленка.

— Ничего,— буркнула Марина.

Она перевернула следующую страницу и посмотрела на адрес заявителя. Ни он, ни Сережа не жили на территории, обслуживаемой их райуправлением. Хотя деньги он передал здесь, на нашей территории, при свидетелях. Возле метро. А Сережа что показывает?

Марина нашла протокол допроса Измайлова.

«Деньги Игорь передал мне в своем офисе на Коломяжском проспекте».

То есть на другом конце города. Все понятно. Какая для заявителя разница, где он стал жертвой мошенничества? Да никакой, по большому счету. Что один район, что другой. Но здесь он настаивает принципиально — возле метро, и все тут. В нужном районе.

Марина закрыла дело, швырнула его в стол и громко хлопнула дверцей.

— Ты ж сама этого ждала! Забыла, как ревела? «Будет возможность, я ему устрою!» Так вот оно, само в руки идет! Жалость взыграла? А он тебя пожалел?

— Алён, есть такая примета. Народная. Если выключателем не щелкнуть, то и свет не зажжется. Это я к тому, что само в руки...

Спор прервал телефонный звонок.

— Да? — сняла трубку Марина.

— Мариша, приветик, ласточка, это Гриша Косицын. Как настроение?

— Спасибо, хорошее. Только я не Мариша и не ласточка.— Марина терпеть не могла, когда едва знакомые люди, пускай даже из одного ведомства, начинали фамильярничать.— Что вы хотели?

Косицын сменил слащаво-компанейский тон на более официальный:

— Я по поводу Измайлова. Как насчет ареста? Надо бы товарища оприходовать. Редкостный гад. Он у нас не первый раз с долговыми фокусами светится.

— В деле этого нет,— сухо ответила Марина.

— Ну не все же в дело можно поместить. Это оперативная информация. Так как насчет ареста?

— При таком раскладе прокурор никогда не даст санкцию. Тем более что Измайлов готов вернуть деньги. И вообще, я не понимаю, зачем возбудили это дело. Для «палки»?

— Обидно, что такие ухари на свободе гуляют да народ обувают. Сразу не поймай, завтра с десяток обует, денег соберет и во власть... А насчет прокурора не беспокойтесь. Все будет согласовано. От вас только постановление на арест требуется. Статья позволяет, да и вам спокойнее работать — не надо за человеком бегать и вызванивать.

— Я за ним бегать не буду. И позвольте напомнить, что я процессуально независимое лицо и сама могу принимать решение.

— Да я и не настаиваю, просто рекомендую.

— Благодарю. Извините, у меня люди.

Марина повесила трубку, поднялась из-за стола. Теперь она окончательно убедилась, что дело отписано ей не случайно, с точным прицелом — уж кто-кто, а ОНА Сережу арестует.

— Я в изолятор, когда вернусь, не знаю.— Марина опять открыла стол, достала дело и переложила в сумочку-«дипломат».

— К нему?

— Да. Хочу передопросить.

— Мариша, только не будь опять дурой. Он же перед тобой сейчас на колени рухнет, снова охмурять начнет. Не вздумай слабость показать. Главное — в руках себя держи. Гордость у тебя есть, в конце концов?

В троллейбусе было свободно, но Марина не стала садиться, до изолятора всего пара остановок. На заднем сиденье взасос целовалась парочка, ни на кого не обращая внимания.

Дежурный показал на свободный следственный кабинет и попросил подождать минут пятнадцать — в изолятор привезли обед. Марина кивнула и села на привинченную к полу скамеечку. Закрыла глаза.

«Интересно, он сильно изменился? За три года?..»

— ...Ну, козел!.. Что натворил?! Похороню урода!

Сергей выскочил из машины, подлетел к хозяину «Москвича» — плешивому щуплому мужичку лет пятидесяти —

и коротким, умелым ударом в скулу свалил его на асфальт. Падая, мужичок зацепил бампер своего «четыреста двенадцатого», вскрикнул от боли и свернулся калачиком, обхватив голову руками.

Сергей не успокаивался. Носком ботинка он яростно пнул дядьку в спину и, когда тот выпрямился, схватившись за поясницу, саданул каблуком в живот.

Украдкой взглянул на Марину. Видит ли она?

Марина видела.

Плешивый захрипел, вытягивая вверх руку.

— Не надо, пожалуйста, не надо... Я заплачу, все исправлю. Ну пожалуйста...

Сергей поддал ногой по заднице лежавшего.

— Что ты мне отдашь, срань Божья?! Я металлолом не собираю. Ты, бля, очки сначала купи, а потом за руль садись!.. Н-на!

Марина вышла из «девятки», испугавшись, как бы Сергей не перегнул палку.

— Сережа, успокойся, я тебя прошу. Он все заплатит. Ты ведь сам виноват, летел как сумасшедший.

Марина схватила Сергея за руку, пытаясь оттащить в сторону. Он вырвался, оттолкнув ее обратно к машине.

— Сядь в тачку! Быстро! Сами разберемся, кто виноват. Ты посмотри сначала, что это чмо наворотило! Я его просто пришибу!

Он присел на корточки и пару раз врезал мужичку по лицу. Тот схватился за разбитый нос и как-то по-детски заревел:

— Ой-ой-ой-ой...

— Прекрати! — закричала Марина.— Я сейчас уйду!

На вечерней, точнее, уже ночной улице, как назло, никого не было.

— Ты совсем с ума сошел! Ты ведь убьешь его! Успокойся, Сережа.

Сергей опустил поднятую для очередного удара руку.

— Благодари Бога, козел, что она со мной, а не то б...

Мужик судорожно закивал головой, давая понять, что он признателен Всевышнему. Сергей выпрямился, плюнул в сторону, откинул челку. Он хотел выглядеть в глазах Марины крутым, решительным мужиком, способным разобраться с каждым, кто встанет на его пути. Пусть знает, какой у нее «мэн».

Он вернулся к машине, осмотрел повреждения. В принципе, не страшно. Треснуло стекло фары, оно копейки на рынке стоит, плюс раскололась пластиковая отделка бампера — тоже, в общем-то, ерунда.

— Ну блин, штуки на две опустил,— вслух произнес Сергей.— Ты, малыш, посмотри! Только-только машину купил! Ну что за непруха!

Он достал из салона ручную сумочку-«визитку», нашел авторучку, потом, секунды две подумав, бросил все обратно в машину и подошел к лежащему владельцу «Москвича». Перевернув мужика на спину, сунул руку ему за пазуху и извлек документы.

— Когда заплатишь, получишь назад. Я позвоню, когда и куда привезти бабки. Начнешь блудить — молись. Ты видел, я «Санта-Барбару» не развожу. Замочу к чертовой матери, как клопа.

Мужичок опять закивал:

— Да-да, конечно...

«Москвич» пострадал гораздо сильнее — правым боком зацепил дорожный столбик, выворотив его из земли. Крыло разорвало, передняя дверь «ушла» в салон. Хорошо, что мужичок ехал один.

...По большому счету, в аварии был виноват Сергей. Они возвращались из театра, машин на улицах почти не было, и Сергей решил продемонстрировать Маришке, что умеет его купленная на прошлой неделе красавица. Разогнался до соточки. Марина пыталась успокоить Сергея, но это его только подзадоривало.

«Москвич» выехал на перекресток справа, и Сергей обязан был его пропустить. По правилам. Но при чем здесь правила, если он на крутой тачке? И когда стоха на спидометре? Корыто пускай пропускает. Может, Сергей просто не знал, у кого главная дорога. Права он купил всего две недели назад и за рулем чувствовал себя не очень уверенно.

Водитель «Москвича», поняв, что столкновение неизбежно, крутанул руль вправо, нажал на педаль тормоза и сумел уйти от столкновения, пожертвовав боком своей машины. Однако удар о столбик отбросил автомобиль, и «Москвич» все-таки зацепил «девятку», разбив ей фару.

Свидетелей столкновения поблизости не оказалось, и Сергей понял, что в споре победит сильнейший. Мужичок на голову ниже, прост и неказист, а у Сергея за плечами пять лет на любительском ринге, поэтому вопрос «Кто виноват?» даже не вставал.

Сергей завел двигатель, пару раз газанул на холостом ходу. Двигатель не пострадал, что радовало.

— Садись! — крикнул он стоящей в метре от машины Марине.

— Может, все-таки ГАИ вызвать?

— Садись! — более резким тоном повторил он.

Она послушалась.

Мужичок встал на колени и, зажимая скомканным грязным платком разбитый нос, пополз к своему «Москвичу». Марине стало ужасно жалко мужичка, ей захотелось выскочить из машины, как-то помочь, хотя бы словом, но Сергей включил передачу, газанул, и мужик остался в одиночестве.

Сергей продолжал ворчать, что-то говорил про цены на запчасти, про «чайников» — лохов за рулем и про невезение.

Марина не слушала, сидела, уставившись в лобовое стекло.

— Обязательно надо было его бить? — спросила она, когда машина притормозила у подъезда.

Сергей положил руку на ее плечо, поцеловал в щеку.

— Время такое, малыш. Не ударишь ты, ударят тебя. Сейчас надо бить первым, только первым. Ты это запомни.

— Меня ты тоже ударишь, если я нечаянно твою машину поцарапаю?

— По-моему, малыш, на тебя плохо подействовал спектакль. Больше мы на такие мероприятия не поедем.

Он еще раз поцеловал ее, протянул руку на заднее сиденье и достал розочки.

— Ну, если честно, то да, я погорячился. Прости, этого больше не повторится. Наверное, на меня тоже плохо подействовал спектакль.

Он улыбнулся и протянул ей цветы.

— До завтра, малыш... Ну пожалуйста, прекрати дуться из-за каждого пустяка. Нормально все. Не поезжу пару дней на машине, и все... Спокойной ночи.

Он обошел машину и открыл правую дверь. «Да, это, конечно же, нелепая случайность. Я ведь знаю, какой он на самом деле. Добрый, заботливый, хороший. И он признал, что был неправ».

— Спокойной ночи, любимый...

В коридоре завыла сирена — кто-то зашел в изолятор,— и дежурный секунд пять возился с кодом, пока не отключил «ревун». Сирена вернула Марину в реальность. Девушка вздрогнула, взглянула на часы. Пора бы уж отобедать господам арестантам.

Марина вышла из следственного кабинета, пересекла коридор.

— Николай Михайлович, как там Измайлов, не откушали?

— Минут десять еще, Марина Александровна.— Дежурный снял с пояса связку огромных ключей и, выбрав нужный, полез в сейф.— Машина с обедом подзадержалась. Посиди чуток.

Обед в изолятор привозили со стороны, в здоровых термосах. Штатного шеф-повара райотдел не имел.

Марина посмотрела на сейф.

— Вот еще, кстати. Мне надо осмотреть вещички Измайлова. У него что-нибудь изымали?

— А как же! У них всегда есть что изъять, любят капиталисты побрякушек на себя понавешать. У некоторых на целый ювелирный магазин товара наберется.

Николай Михайлович покопался в сейфе, достал газетный сверток и положил на стол.

Марина развернула газету. Бумажник, ключи, расческа. На веревочке печатка с инициалами... Колечко. Обручальное. Тоненькое, стильное.

— Не хотел снимать,— Николай Михайлович заметил, что Марина остановила взгляд на кольце.— Но я все отнимаю. Один гаврик плакался про любовь — не забирайте колечко да не забирайте. Я по глупости распереживался, не изъял. А он в номере им и закусил. Проглотил, гад. Думал из больницы после операции сдернуть. Брюхо разрезали, «гайку» достали, а больного к нам, обратно. Так что я теперь все выгребаю.

Марина распотрошила бумажник, принялась перебирать визитки. Карточек было несколько, все разные. Трудовой путь Измайлова Сергея, человека и президента. Да, это в его ключе. Минимум президент. Неважно чего, но президент.

Колечко отражало свет настольной лампы. Новенькое, почти без царапинок. Цепочка. С висюлькой. Маленький скорпион. Ее подарок. На день рождения.

Марину заколотила внутренняя, невидимая дрожь, лицо обожгло раскаленным ветром. Она прислонилась к стенке, боясь не удержаться на ставших ватными ногах.

Впрочем, приступ длился не более секунды — она считала себя сильной женщиной, к тому же годы, проведенные в следственном отделе, закалили волю и характер. Николай Михайлович ничего не заметил.

Марина быстро завернула изъятое имущество в газету и отдала обратно дежурному.

— Все, можно убирать, спасибо.

Она ушла в кабинет, села, снова закрыла глаза... Через пять минут она увидит его. Ей предоставили эту возможность.

...Марина долго выбирала подарок. Сначала хотела купить приличный галстук, но потом передумала, решив, что это слишком традиционно. Хотелось доставить Сереже радость, а не просто отдариться. Последние дни Сергей так мало улыбается. За эту неделю они виделись всего два раза, и то, можно сказать, случайно. Он ссылался на проблемы бизнеса, нервотрепку и нехватку времени. Правда, ссылался неубедительно — скорее для приличия, для отмазки...

Наверное, она тоже отчасти виновата, забыла правило, что любви надо добиваться постоянно, даже если тебя и так любят. Надо привязывать человека к себе, а не строить из себя фарфоровую принцессу. Марина опрометчиво решила, что Сережа уже никуда не денется, слишком много их связывает, она для него единственная и неповторимая. А поэтому можно расслабиться и лишний раз не утруждать себя бурным проявлением чувств. И вообще проявлением.

Хотя она, конечно, любила его...

В ювелирный она заскочила за пять минут до закрытия. Сереже нравились драгоценности, он любил рассматривать витрины с украшениями, правда, никогда ничего не покупал. Как-то заметил, что тратить деньги на побрякушки глупо — особенно когда деньги не халявные.

На красивую заколку с белым камешком не хватало. Продавец указал на витрину с более дешевыми изделиями. Марина остановилась на знаках зодиака, нашла Сережин — Скорпиона. Очень миленький, просто чудо.

— Будьте добры, покажите скорпиончика.

— Да, пожалуйста. Настоятельно рекомендую. Редкая коллекция. Не Турция.

Сереже понравится. Как раз к его цепочке.

— Выпишите.

На улице Марина столкнулась с Галькой Самохиной, бывшей одноклассницей. Та выходила из бутика, держа фирменный пакет с покупкой. В смысле внешности Галька была «мисс школа», что же касается успеваемости — «Ну подумаешь, тройка. Зато твердая».

«Ничего прикинута»,— подумала про себя Марина, оценив самохинские гардероб и украшения.

Галька расплылась в улыбке, как ванильное мороженое на жаре, жеманно чмокнула Марину в щечку.

— Ой, привет-привет, дорогая. Сколько лет... Я тут случайно. Плащик прикупила, ничего такой. «Гусей».

— «Гуччи»,— поправила Марина. Посидели в кафешке, поболтали, повспоминали. Хи-хи, ха-ха.

— Ты-то где? — спросила Марина.— Работаешь?

Галька искренне удивилась:

— Зачем?! Я же замужем...

...День рождения отметили шумно, в кабачке. С танцами под живую музыку. Сергею подарок понравился, он поцеловал Марину и сказал: «Спасибо, малыш». Гостей было много, в основном деловая публика, которую она не знала. Милашка в вечернем платье с вырезом на спине. Как поняла Марина, секретарша. Парочка подружек без мужчин — случайные знакомые. «Случайных нечего и приглашать»,— думала Марина, наблюдая, как «подружки» по очереди целуют Сережу, преподнося сверточки с подарками, и как Сережа восхищенно смотрит на одну из них, похожую на болонку. Точно так же год назад он смотрел на Марину...

От музыки разболелась голова. Марине надоело водить хороводы, обнимая потных мужиков.

Она вернулась за стол и заказала официанту кофе.

Именинник, исчезнувший из зала под шумок оркестра минут пятнадцать назад, вернулся обратно с «болонкой». Марина ощущала ужасную обиду. Ведь он — ее, Маринин. Просто ее, и ничей больше! Как он может весь свой день рождения бегать за какой-то раскрашенной дурочкой и вспоминать про свою любимую и родную лишь в вынужденных паузах, когда «болонка» удалялась припудрить нос в женское отделение уборной? Ведь он и Марина почти муж и жена, как же так?

Марина пригласила Сережу потанцевать. Он аккуратно обнял ее за талию, будто куклу, и они принялись топтаться на месте под модную соплевыжималку. Сережа молчал, стараясь не смотреть на Марину.

— У меня болит голова,— пожаловалась она.— Я, наверное, поеду.

— Подожди, скоро будет сладкое. Выйди на улицу, проветрись. Здесь душно.

За время танца ни он, ни она не произнесли больше ни слова. Музыку сменили спичи, анекдоты в узком кругу, фруктовый десерт и кофе.

Марина сидела одна, размешивая ложечкой давным-давно растаявший сахар. Сережа суетился перед «болонкой», словно халдей перед богатым гостем. Даже, пожалуй, покруче. Вообще, кто она такая, откуда появилась?

Кофе остыл. Марина бросила ложечку, увидела лежащую пачку сигарет, зажигалку.

От дыма голова разболелась еще сильнее. Марина затушила окурок, подошла к Сереже.

— Мне пора. Я устала.

Он убрал руку со спинки кресла, на котором сидела «болонка», и поднялся.

— Я провожу тебя.

Затем склонился к «болонке»:

— Извини, я на минутку.

— Конечно, Сереженька...

В гардеробе он помог Марине одеться — по-прежнему избегая смотреть ей в глаза. Попросил швейцара вызвать такси.

— Спасибо, что пришла. И за подарок. Тебя довезут. Я, как смогу, сразу позвоню. Не скучай.

Он улыбнулся, легонько похлопал Марину по плечу и вернулся к гостям.

«Не скучай, не скучай, не скучай...» Марина не стала дожидаться такси. Выскочила из кабака и, распахнув пальто, побежала прочь по незнакомой улице. Через пару кварталов улица уперлась в какой-то канал. Марина упала на перила, тяжело дыша. Осенний ветер пронизывал насквозь, но она этого не замечала. Волны бились о гранитную набережную, бликуя отражениями фонарей.

«Ну почему, почему же?.. Ведь я на все готова для него, ведь я себя без него не представляю. Неужели он этого не понимает?»

Порыв ветра сорвал с нее легкий шарфик и, поиграв, бросил на волны. Через секунду шарфик скрылся в темноте, уносимый течением.

«Что со мной, что? Если сейчас ветер так же поднимет меня и швырнет в канал, я даже пальцем не шевельну, чтобы спастись. Я ничего, ничего не хочу... О Боже мой!»

Марина прижала руки к лицу и зарыдала... Вечером следующего дня она почувствовала сильный озноб. Было воскресенье, весь день Марина лежала в постели и бездумно смотрела в окно. Она нашла градусник, измерила температуру. Тридцать девять с половиной. Родителей дома не было, они уехали к бабушке в область, помочь по хозяйству.

Марина отрыла в аптечке аспирин и кучу всяких жаропонижающих порошков. Проглотила гигантскую дозу, вернулась в постель. Закуталась с головой, надеясь согреться и уснуть.

...Три месяца назад она тоже заболела, искупавшись в холодном озере. Они с Сережей ездили в Токсово, жарили шашлыки на костре, пытались поймать золотую рыбку. Не поймали даже самой обыкновенной и, плюнув на рыбалку, полезли освежиться. Простуда оказалась пустяковой — пару дней отлежаться, и все. Тем не менее Сережа каждые два часа звонил Марине, а по вечерам приезжал, привозя кучу фруктов и сладостей...

Марина уткнулась лицом в подушку и снова заплакала. Он не звонил всю неделю. Марина почти не вставала. Вернувшаяся из области мать вызвала врача, накупила кучу импортных лекарств и заставляла дочь интенсивно глотать их.

Марина попросила перенести телефонный аппарат из коридора в комнату, сказав, что ждет важных звонков с работы. На самом деле она ждала один-единственный звонок. Словно на икону, смотрела на аппарат, про себя разговаривая с ним, гладя трубку, умоляя отозваться Сережиным голосом. Долго обдумывала, что скажет, какой выберет тон. «Только не показывать, что я расстроена, даже наоборот — у меня все прекрасно, превосходно, здорово! Ни в коем случае не спрашивать, как у него дела, все ли в порядке. И вообще долго не болтать — заботы у меня, родной, будет время, перезвоню. Не скучала... Нисколечки... Какая тебе разница, какие у меня заботы? Важные, важнее не бывает». Пускай побесится. А может, ему это на руку? И не будет он беситься, «слава Богу» скажет?

Но, едва телефон начинал звонить, она хватала трубку, совершенно забывая о необходимости выдержать паузу. Мол, не спешу я... Хватала, гадая про себя — он, не он? Пыталась различить оттенки замыкания контактов на линии. Когда Сережа звонил с трубки, связь появлялась после небольшой паузы, с характерным щелчком.

Забывались внушаемые приказы, исчезало притворство. Лишь бы он, только бы он...

Наверное, Сережа не может позвонить, просто у него сейчас тяжелое время, ох уж этот бизнес.

А может, он тоже заболел?..

В среду заехала Ленка, посидела часок. Марина ничего не рассказала ей про личные проблемы. «Сережа? Да, заходит. Все в порядке у нас, в Швецию собираемся прокатиться перед Рождеством. Паспорт надо заграничный получить...»

Ленка сказала, что ей предложили местечко в частной адвокатской конторе. Пока помощником очень известного юриста. Полгодика в помощниках, потом — в штат. Но она отказалась. Хотя финансовая сторона впечатляла. Это не министерская подачка — сапоги приличные с получки не купить.

«Но подожду пока, с голоду не умираю. Такие деньги за перекладывание бумажек с места на место да за курьерство никто не платит.

Ты посмотри, какие у него помощницы — краля на крале и кралей погоняет. Ни одной ниже ста семидесяти пяти, словно по каталогу. Знаешь, что про этого адвокатика поговаривают? Что девочек своих, помощниц, он по тюрьмам с собой таскает. Не для передачи богатого адвокатского опыта, конечно. Им этот опыт, в общем-то, постольку-поскольку...

Девочки обслуживанием клиентов занимаются, в специально отведенном месте. Они ж помощницы. Сеанс экстренной помощи. В естественной и неестественной форме. Кому какая нравится, благо клиенты денежные, хоть и капризные. Иным сами жены помощниц подгоняют, услуги оплачивают. Не должен любимый гасить основной инстинкт и пренебрегать естественными потребностями. Что естественно, то не безобразно.

Одним словом, помощницам и на сапожки достойные хватает, и на шубки норковые».

Посплетничав про следственный отдел еще полчасика — в основном обсуждалось, кто с кем,— Ленка умчалась домой.

2*

Марина опять осталась наедине с маленьким кнопочным другом. Опять молилась, говорила с ним, вздрагивала при каждом звонке, едва сдерживала крик отчаяния, когда слышала в трубке не Сережин голос.

После проклинала, представляла, как Сергей валяется у нее в ногах или мерзнет под окном... Ненавидела. От всей души.

Но все забыла бы. Только бы позвонил.

Сама звонить она никогда не стала бы. Она — сильная женщина. А вдруг он вообще не позвонит?! О Боже мой, что же делать?

Он позвонил в субботу, ровно неделю спустя после своего дня рождения.

— Привет. Как поживаем? — Спокойный, ровный голос. Марина оказалась не готовой, потому что слишком долго готовилась.

— Сереженька!.. Ну где же ты, драгоценный мой?! Куда ты пропал? Я болею, очень болею. Нет, родной, не сержусь, нисколечко. Теперь все в порядке. Приезжай, мне плохо, совсем плохо без тебя, просто умираю...

Он односложно отвечал, потом сказал, что заедет, предварительно позвонив...

...Заехал в воскресенье вечером. Привез три гвоздички — две красных и белую. Выглядел свежим и жизнерадостным. То есть радующимся жизни.

«Не звонил? Ну, понимаешь ли, не смог, просто не смог. Воз и маленькая тележка проблем и проблемок...

Только, пожалуйста, давай без сцен. Мы взрослые люди, и наш бронепоезд стоит... Нет, я что-то не понимаю, родная. Я тебе что-нибудь подобное обещал? Ты, наверное, не так поняла...

Собственно, за этим я и пришел. Давай обойдемся без высоковольтных фраз. Мы не в театре имени Большого и Малого. Бога ради, прекрати. А вот это тебя не касается. Мы ничем не связаны, отсюда выводы о невмешательстве во внутренние дела...

В общем, если понадобится моя помощь, я ее окажу. Если сумею, конечно. А все остальное — извини...

Да, говорил. Наверное, это было ошибкой.

И потом, если откровенно, год назад ты была одной, а сейчас совершенно другая. Даже внешне. Посмотри в зеркало, может, поймешь. Да, любят не за внешность. Но и за внешность тоже...

Короче, мне пора. Телефон знаешь, будут проблемы, звони. Можешь не провожать, я помню, где дверь».

Марина пришла в себя на третьи сутки. Врач продлил больничный, полагая, что ее состояние вызвано остаточными явлениями простуды.

«Лечитесь, милая, лечитесь. Лекарства хорошие, принимайте регулярно — помогут».

Помогли, но не от того. От этого лекарств еще не придумали. Наркота не в счет.

Все последующие неудачи и неприятные события Марина связывала с уходом Сергея. Он был главным виновником всех ее бед. Началась какая-то жуткая черная полоса. Как по заказу.

Два месяца спустя погиб в аварии отец. На маму было страшно смотреть. Хотя сплетники поговаривали, что мать вышла замуж не за отца, а за его деньги, Марина была твердо уверена в искренности их отношений.

Перестали волновать вопросы карьеры, ей уже не хотелось стать адвокатом. Зачем? Не хватало того, главного, ради чего люди живут. Деньги? Покупать наряды и украшения? И для кого их надевать? Для себя или для подружек? Самой не надо, а подружки перебьются. Хотят — сами пускай наряжаются. Положение? Опять-таки для кого? Вот, смотрите — это Марина Александровна, превосходный специалист, отличный практик, рекомендуем...

Ну и что?

В итоге — отказ от заманчивых предложений, завал нескольких вполне перспективных уголовных дел. Выговоры, перебранки с начальством...

Ну и что?

Утром ей не хотелось смотреться в зеркало, вернее, она боялась туда смотреть. Никаких макияжей, причесок, масок... Перешила юбки на два-три размера больше, иначе не влезть. Мелкие ссоры с матерью, потом крупные скандалы, напрасные обиды...

Ну и что?

Пустота. Сплошная инерция.

Костя, бегавший за ней, женился. Иногда звонит, поздравляет с праздниками.

Сережа не звонит совсем. Как умер. Не поздравил ни в Новый год, ни в день рождения. Она, разумеется, тоже.

Ленка сначала успокаивала, вспоминая всякие похожие истории из жизни подружек, ругалась, стыдила, предлагая поумнеть и не строить из себя тургеневскую барышню. Потом махнула рукой.

Три года пролетели как один день — уголовные дела, выходные, праздники, сабантуйчики, сериалы, отпуска, больничные, толкотня в метро.

Один раз она случайно услышала про Сережу. Вернее, прочитала в городской газете. В разделе криминальной хроники. В подъезде нашли застреленного коммерсанта-торгаша, связанного с продажей компьютеров и оргтехники. Как утверждал корреспондент, торгаш имел затяжной конфликт с компанией, возглавляемой господином Измайловым С. Да, Сережа тоже торговал компьютерами.

Еще тогда, три года назад.

Марина перезвонила в убойный отдел Главка, уточнила у знакомого опера обстоятельства происшествия, версии. «Да, Измайлов на подозрении, но это ж заказуха, пока исполнителя не найдем, подозрения так и останутся подозрениями. Да, его вызывали, беседовали... Держится спокойно, где-то даже нагло, но глазки бегают. Сомнений, в общем-то, нет, но и доказательств тоже. Работаем».

Марина стала страдать хронической бессонницей. Просто лежала, смотрела в темноту и представляла свою жизнь с ним.

Она ненавидела его, жаждала отомстить, увидеть, как он мучается, желала ему неудач и бед... Но очень хотела, чтобы он вернулся. Она ждала его, совершенно четко осознавая, что он уже не вернется.

Никем не объясненное противоречие, которое, в принципе, и невозможно объяснить...

— Налево... Нет, следующая дверь.

Марина вышла из оцепенения, вызванного нахлынувшими воспоминаниями.

Перед визитом в изолятор она задержалась на улице, поправляя сделанный утром макияж и прическу. Сейчас жалела, что не успела еще разок взглянуть в зеркальце. На ней был самый красивый костюм, вчера весь вечер возилась с иголкой, перешивая его по размеру. Последний раз Марина наряжалась в него пару лет назад, на день рождения мамы. Возможно, костюм вышел из моды... Из коридора донеслось ворчание:

— Командир, ну что за блевотина, в натуре? На телефон, позвони, мне нормальной хавки привезут. От ваших помоев ноги сводит.

— Не надо воровать, тогда и сводить не будет... Проходи, проходи.

— Да кто ворует-то?

Марина прижала ладони к столу, стараясь скрыть дрожь.

— Здравствуй... те.

Он почти не изменился. Чуть располнел да нажил пару неглубоких морщинок, спускающихся по щекам к подбородку. Нет-нет, у него совсем другие глаза. Пронзительно-надменные, глаза победителя. Темные синяки, вызванные бессонной ночью.

Он смотрелся как-то нелепо. В модном кремовом костюме без галстука и в мощных ботинках без шнурков.

— Марина Александровна,— дежурный выглянул из-за спины Сергея,— звонил Михайлов, он будет здесь через полчаса, займет второй стол.

В кабинете имелось еще одно место для допросов. Михайлов, тоже следователь, работал в райотделе.

Марина молча кивнула. У нее есть полчаса. Дежурный скрылся.

— Вот так сюрпризик! — Сергей вытаращился на бывшую любовницу.— Маришка! Ты покурить не захватила? А то я тут умираю.

Он упал на стул, широко расставил ноги, оперся о колено рукой. Со стороны можно было подумать, что это он будет вести допрос.

— Сядь нормально.— Развязный, небрежный тон Сергея, как ни странно, помог Марине выйти из заторможенного состояния.— Ты не в ресторане.

— Ну извини.— Сергей нагловато улыбнулся и вытянул руки по швам.— Здравия желаю, товарищ следователь! Поздравляю вас с началом допроса. У-р-р-ра-а!!! Мариш, да расслабься ты, это ж я! Ты чего, забыла, что ли? Я, если по правде, просто обалдел, когда тебя увидел. Захожу — блин, Маришка! Ты не молчи, давай рассказывай, как житуха. Да, слушай, может, сходишь, стрельнешь у цирика пару сигарет? Моих же сигарет! Я им нераспечатанную пачку презентовал.

— Потерпишь,— холодно ответила Марина. Она по-прежнему боялась оторвать ладони от стола, сидела как первоклассница перед учителем. Хотя дрожь уже прекратилась. По крайней мере внешняя.

— Ну ладно. Ради тебя потерплю. Не, здорово, что я на тебя нарвался, просто клево. Я-то, прикинь, и разговаривать не собирался, только при адвокате. Бах, а тут Маришка! С тобой-то мы быстренько все решим. Верно, малыш?

Сергей вел себя будто они расстались только вчера. После культпохода в казино.

— Сергей, у нас не так много времени, ты же слышал. Мне надо кое-что уточнить, я за этим и пришла. Даже если мне случайно расписали это дело, я должна его расследовать. Обязана.

— Да какое там, к черту, дело! — махнул рукой Сергей.— Вот это, что ли? Блевотина сушеная, извини за метафору. Я тебе потом за пару секунд все растолкую. Я, прикинь, тут о тебе почему-то вспомнил. Ну, когда сюда привезли. Думал, ушла ты или нет? Как живешь-то, малыш?

— Нормально живу. Не называй меня малышом. Мне это неприятно.

— Эх, а я плохо живу. Мою пайку крысы съели, га-га-га...

Сергей все еще находился под впечатлением их случайного свидания в изоляторе. Бурную радость ему доставляла, конечно, не встреча с Мариной, а свидание со следователем Мариной. Это слишком бросалось в глаза. Марина готовила себя к совершенно иному разговору. Ей казалось, что он испугается, упадет в ноги или, по крайней мере, будет сидеть, виновато уставившись в пол. А тут действительно как в казино. Хозяин Медной горы. Сережа Измайлов.

Хотя годы меняют не только внешность... Это для нее они промчались как один день. А что было у него? Что у него там, на обратной стороне визитки? И осталось ли в нем хоть что-то от того Сережи, который заботливо прятал ее от дождя под своей курткой? Который часами простаивал в подъезде, дожидаясь ее возвращения от подружки...

Она пододвинула дело поближе.

— Да погоди ты,— Сергей положил руку на обложку.— Тебя ведь сейчас не это волнует? Да, малыш? У женщины рабочие вопросы всегда на втором месте. Сколько мы не виделись? Два года? Хоть бы позвонила, поболтали бы, в кафешку сходили б. Чего не звонила-то?

— А ты?

— Я звонил месяца два назад. Батя к трубе подходил. Сказал, что ты в наличии отсутствуешь. Потом закрутился, не успел перезвонить, дела там всякие.

Марина не стала сообщать ему, что отец погиб почти три года назад.

— Замуж-то не выскочила?

— Послушай, давай к делу перейдем.

Сергей, не обращая внимания на предложение, продолжал:

— А у меня все как-то наперекосяк... Женился сдуру на одной... Оттяпала у меня квартиру с тачкой, потом сбежала. К моему же приятелю. С ним сейчас судится. Хорошо хоть детей не было. После со второй пожил, уже так, без колотухи в паспорте. Тоже стервозой оказалась, гуляла со всеми налево-направо, выгнал... Сейчас так, то с одной, то с другой — в общем, ничего не получается. Попадаются одни уродки какие-то...

Сергей криво ухмыльнулся и начал отряхивать рукав пиджака, испачканный мелом.

— Хоть бы переодеться разрешили. Это ж «Хуго Босс». Настоящий. Из Германии привез. Такие вот дела, малыш. А с этим-то все понятно,— Сергей кивнул на дело.— Тюлька в томатном соусе. Стухшая.

Он закончил чистить «Хуго Босса» и сложил руки на груди.

— Я за годик последний раскрутился по-нормальному. На компьютерах. Заказики подвернулись, в том числе и государевы. У меня на такие штуки нюх. Цену на опт приспустил, загнал... Конкуренты верещали, мол, не по правилам клиентов таким макаром перебивать. Да пошли они все... Где эти правила, покажите! Прикинь, бандюгов пытались наслать, а у меня «крыши» нет, сам разбираюсь. Раз десять на «стрелки» всякие ездил. Со стволом в парадняк заходил. Разрешение сделал. Но улеглось вроде... Это ведь бизнес. Есть у меня товар — я его продаю. Сумел договориться — стало быть, хорошо. А вы не сумели — ваши проблемы, тренируйтесь. Я с немцами работаю, ну, технику у них закупаю. Они после той сделки полюбили меня нежно, контрактик новый предложили. С минимальной предоплатой. Я, конечно, обеими руками за! Здесь с покупателем повезло. Хотя нет, это не чистое везение. Грамотная рекламная политика. называется. Госшарага, бюджетные деньги. Полные гарантии при расчете. Все тип-топ, удачно. Ну, между нами если, пришлось заслать немножко кой-кому... Но немножко.

— Грамотная рекламная политика?

— Где-то. А тут этот долбаный кризис. Доллар — прыг! Марка следом — прыг! А у меня товара, можно сказать, проданного на целый... В общем, на много. Хорошо еще, с заказчиками никаких бумажек не подписывал, а то сел бы в калошу рваную... Встречаюсь с ними — так и так, ребята, извиняйте, но... Надо бы дослать. Кризис жанра. Они заныли — финансы не наши, городские, лишних нет... Я им про рекламную политику напоминаю — долг платежом красен. Самое обидное — хрена этого, которому на лапу сунул, в Союзе нет, свалил в Америку, на воды отдохнуть, товарищ с ограниченной ответственностью.

Надеюсь, Мариш, это все тоже между нами? А что делать, сейчас без этого никуда. Я тебе такого мог бы рассказать — круче узбекского дельца... Сажай — не хочу. Только не разрешат посадить.

Я давай тогда пробивать. Не так уж много и накинул, чего ради им отказываться? Пробил. Свои люди везде есть, потому как все деньги любят. Оказывается, компаньон мой бывший постарался, Олежек Буйнов. Помнишь, плешивый такой, в очках? На дне рождения у меня был. Мы с ним пару лет назад разосра... пардон, поссорились, ну и разбежались. Он, гад, у меня лучших людей увел, свою компанию открыл. «ОБИ» называется, как прокладки. «Олег Буйнов Интернешнл». Тоже компьютеры и всякая мутотень. У него не только опт, но и магазинов несколько.

Короче, Олежек узнал, погань, про моих клиентов и втихаря с ними сговорился. За еще меньшую цену. Естественно, зеленых для интереса заслал. Я, как узнал, хай поднял. К нему прикатился — в морду чуть не дал, едва сдержался, потом к клиентам помчался. Не по-товарищески это, господа, такие оборотки устраивать, не по-государственному. Неправы вы, что с Олежеком за моей спиной торгуетесь. Я про него много всякого знаю, обманет он вас по-паскудному. Хотя бы с товаром. Там только снаружи чин чинарем, фирма, а внутри — все желтое, как моча пьяного верблюда. Южная Азия. Подумайте хорошенько.

Подумали. Решили тендер устроить. Знаешь, что это? Типа выборов. Есть несколько претендентов, тайным голосованием выбирается единственный. Так и тут. Выбирают между мной и Олежеком. Время назначили. Знаешь, на когда? На десятое число, то есть через неделю! И если меня на тендере не окажется, автоматом побеждает Олежек! А как же мне там оказаться, коли я тут?! В тюрьме!

— Ты пока еще не в тюрьме. Ты задержан на трое суток по подозрению. Между задержанием и арестом большая разница.

— Да брось ты!.. Словоблудие. Что так, что этак — решетка на окне. Ну, Олежек... Не ожидал я от него такой пилюли... На тендере ему ничего не светило с его желтым дерьмом. Так он во как все обставил, ублюдок!

Сергей топнул каблуком по полу, будто раздавил таракана.

— В деле есть только конкретный эпизод с долговой распиской и нет ни слова про твои разборки с Буйновым,— Марина наконец перестала мандражировать и решила сосредоточиться на деле.

— А кому мне про это рассказывать? Вчерашнему мальчику-с-пальчику? Так он чуть не уснул. Выхлопом за три метра несло, сопля из ноздри до стола повисла. Смешные у вас следователи.

Марина ничего не ответила. Миша, несмотря на юный возраст, принимал на тощую грудь по-взрослому, особенно когда за «спасибо». А уж Косицын перед ним вряд ли счет положил. И поспать на службе Михаил любил. Говорят, один раз уснул на обыске, пока опера шкафы выворачивали...

— Тебе, Мариш, все как перед Богом,— продолжал Сергей.— Ты только правильно нить ухвати. Этот вот шустряк, который заяву на меня накатал,— Олежека приятель закадычный. Финэк они вместе кончали. Бабки я у него брал, да... У него всегда наличка есть, а у меня тогда проблемы случились. Я, как положено, с процентами вернул бы все через пару месяцев. Там написано,— Сергей кивнул на протокол допроса.

— Есть неясность с местом передачи денег. И заявитель, и свидетель утверждают, что все происходило в нашем районе, возле метро.

— Чепуха полная. Во-первых, не было никакого свидетеля. Бабки передавались один на один. К чему мне лишние глаза и уши? Есть расписка, я от нее не отказываюсь. Ни у какого метро. У него в конторе, на Коломяжском. Зачем такой наглый фуфляк засылать, я просто не представляю.

— Ты прекрасно знаешь, что твоя расписка никакой юридической силы не имеет. По суду он ничего не докажет.

— Да отдал бы я этому жлобу его паршивые бабки! Слышала, что премьер сказал? Ждите, господа, кризис пройдет сам собой. Рассосется. Надо только подождать. Я то же самое товарищу передал! Верну деньги после кризиса, подожди. А они вон как... Свидетель какой-то, расписка недействительна... Молодцы. Все просчитали. Мошенничество. Лихо! Ты-то мне веришь?

— Пока не знаю. Мне надо побеседовать и со свидетелем, и с потерпевшим.

— Беседуй, конечно. У Олежека в ментуре связи налажены, вот тебе и вся загадка с метро.

Вернее, разгадка. У этого Косицына на харе написано, кто он и что. Видала б ты, как он меня колол.

— Бил?

— Только попробовал бы. Сейчас бы с тремя капельницами в больнице имени 25-го Октября реабилитировался. Нес бредятину какую-то, кодекс в нос совал, дешевка позорная... Стал бы он за свои две тонны оклада толстую задницу от стула отрывать, чтобы чужие долги вернуть...

Сергей презрительно ухмыльнулся.

В коридоре послышались голоса. Марина взглянула на часы. Тридцать минут истекли. Быстро.

В кабинет заглянул Николай Михайлович, за ним — следователь Вадик Михайлов.

— Привет, Марина Александровна, не помешаю? — Он кивнул на свободный стол.

— Помешаешь, конечно.

— Ну извини.

Михайлов уселся и открыл портфель. Дежурный отправился за задержанным.

— Ну и что, Мариша, мне светит? — Сергей не стеснялся постороннего человека. Михайлов оторвался от портфеля.

— Какая она тебе Мариша? С елки, что ли, свалился? Нашел девочку...

— Вадик, все нормально,— успокоила Марина Михайлова.— Я разрешила. Вообще-то я здесь по личному вопросу.

Михайлов удивленно пожал плечами и мрачно пробубнил:

— Вы б еще чаепитие при свечках устроили. Я все понимаю, но...

Марина повернулась к Сергею. Наверное, в другой обстановке и при других обстоятельствах она ничего и не заметила бы, но сейчас... Сергей смотрел на нее совсем иначе, нежели минуту назад. Обиженным взглядом школьника, которому строгий и несправедливый педагог хочет вкатить «квадрат». К обиде добавлялся едва уловимый испуг.

Неужели дошло?

— Что тебе светит? — Марина решила провести маленький следственный эксперимент.— Все зависит от МОЕГО решения. Если свидетель и потерпевший будут настаивать на первоначальных показаниях, я предъявлю тебе обвинение в мошенничестве.

— И что?

— Изберу меру пресечения.

— Какую же?

Марина выдержала взгляд Сергея.

— Возможно, арест. Очень большой ущерб. Либо подписка о невыезде. Если ты скроешься, у меня будут неприятности.

— Ах, вот оно...— Измайлов провел ладонью по шее, вытирая пот.— Личное дело, значит?.. Та-а-а-ак... Ну что ж, Мариша, давай, арестовывай. Отыграться решила? Что ж сразу-то не сказала? Случайно, говоришь, дельце расписали...

Марина молчала, давая Сергею выговориться.

— Ты, стало быть, тоже личную шерсть с государственной путаешь? Молодец Олежек. Недооценил я его. Как обставил. Оперку Косицыну отмаксал, а тебе и максать нет надобности. Ты и так все что угодно сделаешь. Хорошая у Олежки память. Поздравления ему передай, когда встретишь.

— Я занимаюсь расследованием дела, которое мне расписали,— как можно спокойнее ответила Марина.— Если не усмотрю состава преступления, то прекращу дело.

— Я тебя умоляю, малыш!.. Какое «прекращу»?! Да кто ж тебе позволит? Не для того его заводили, чтобы прекращать. Не надо меня совсем за сдвинутого держать. Кто я в твоих глазах? Скотина, подонок, мерзавец — соблазнил да бросил. В тюрьму его за это, в тюрьму! Что отворачиваешься? Боишься? А ты вспомни, как я за тобой шавкойдурачком бегал, а ты цацу-недотрогу из себя строила. «Ах, Мариночка, не хотите ли направо, в Малый?» — «Да нет, я хочу налево, в Большой». Не так разве?

— Прекрати немедленно.— Марину опять заколотило. Михайлов участливо посмотрел на коллегу.

— Да нет, это ты прекрати,— продолжал разгоняться Сергей.— Самое сволочное дело — бабские амбиции таким вот макаром унимать. Давай, Мариш, давай! Только учти, родная,— ой как тебе икнется. Мы тогда с тобой, кажется, по-честному разбежались. Да, любил. Но разлюбил! Дело житейское. К тебе без претензий. Люби кого хочешь, гуляй с кем хочешь, хоть с целой ротой сразу. Но и меня не доставай, потому что — прошло. Проехало. Не получилось — стало быть, не получилось! Так что я сейчас все как сквозь бутылку «Смирновки» вижу — четко и ясно. Одно непонятно — то ли с ними ты, то ли разводят тебя, как куклу, зная про амуры наши.

— Меня никто не разводит. И никаких амбиций я унимать, как ты говоришь, не буду. Арест санкционирует прокурор, в любом случае последнее слово за ним.

— Знаешь, Мариш, как у нас торгаши покупателей дурят? Я с тобой поделюсь секретом профессиональной торговли. Продаю я компьютер за восемьсот, к примеру. Плохо идет, не берут. Тогда я на фасаде магазина аршинными буквами пишу: скидка — сорок процентов! Дешевая распродажа! А потом на ценничке: «Старая цена — полторы, новая — тысяча!» Влет уходит компьютер. За восемьсот не брали, за тонну — на ура. Психология называется. Что скидки, что — кидки, в одной букве разница, но зато какая разница! Клиент мне руки целовать готов. Надо же, щедрая душа — сорок процентов скинул. И с чего это вдруг? Так вот я ему и отвечаю — рынок благодарите, последнее слово за ним! Усекаешь? А на самом-то деле это слово только за мной. И что я клиенту преподнесу, то он и схавает. Так и ты прокурору своему — либо одно нагрузишь, либо другое.

Только меня за мои фокусы никто не осудит, это бизнес, на таком кидалове все держатся. Не я лоха кину, так кто-нибудь другой. А вот за твои фокусы...

— Все, мне надоело,— Марина захлопнула папку.— Я приду завтра после обеда. Сегодня мне еще надо успеть вызвать и допросить людей.

— Вызовешь, Мариша, успеешь. Олежеку и шавке его только свистни. Галопом, рысью прилетят... Знаешь, что мне больше всего обидно? — сказал Сергей неожиданно смягчившимся голосом.— Я ведь эти годы вспоминал тебя, сны видел, где мы с тобой... Да, по-глупому как-то вышло, может, и неправ я был. Так я уже за это наказан. Может, и получилось бы у нас с тобой, а?

— Не знаю,— почти шепотом ответила растерявшаяся Марина.

— Помнишь, как мы в Павловск катались? Классно ведь было? Не знаю, после этого ничего похожего у меня и близко ни с кем не получалось...

Марину чуть не затрясло от такого лицемерия. Говорить про то, как ему было хорошо с ней, и за три года ни разу не позвонить? Обвинять ее и тут же стелиться скатертью? И хорошо было ему с ней, и самая лучшая она была...

Только выпусти, малыш...

Следственный эксперимент удался на славу.

Если б не сидящий рядом Вадик... Ох, что б она Сереже...

Марина швырнула дело в сумку, ударила по звоночку на стенке, вызывая дежурного. Отвернулась в сторону, к окошку, чтобы никто не увидел покрасневших глаз. Лишь бы тушь не потекла...

Николай Михайлович появился довольно быстро.

— Всё, Марина Александровна?

— Да,— едва слышно ответила она.

— Измайлов, прошу в номер.

Сергей, конечно же, уловил резкую перемену в настроении следователя. Понял, что немножко переиграл. Поднялся со стула, с плохо скрываемой злобой посмотрел на Марину. Уже в дверях притормозил и обернулся:

— До завтра, малыш. Ты на всякий случай помни, что жизнь — штука длинная... Но иногда и короткая.

Тяжелые ботинки без шнурков зашаркали по каменному полу изолятора.

Марина смогла удержаться от рыданий только благодаря все тому же Михайлову. Хотя тот увлекся допросом своего подозреваемого и на нее внимания не обращал.

«Гад! Гад! Гад!.. Посажу к черту!..»

...Ленка накурила в кабинете до умопомрачения, будто кто-то произвел газовую атаку сигаретным дымом.

— Кошмар, ты совсем уже со своим никотином...— Марина сразу ринулась открывать окно.

— За тебя переживала. Ну как? Рассказывай.

Марина с минуту стояла у окна. Затем вернулась к столу, бросила сумку с делом.

— Никак. Нормально все.— Ленка подперла голову рукой и сочувственно уставилась на подругу.

— Ясно все, Мариш. По лицу все видно. Тушь, кстати, вытри. Ты на меня не обижайся, я ведь желаю тебе только добра и счастья. И зря ты, абсолютно зря надеешься, что, если выпустишь его, он к тебе вернется. Ты ведь этого хочешь, верно? Передо мной-то чего ломаться? Так вот, ты последней дурой будешь, если это сделаешь. Посмотри в зеркальце- то. В кого ты превратилась за три года?! А такая классная девчонка была. Ты, конечно, извини, но сейчас на тебя ни один кобель не покосится. Медуза-Гангрена. Главное, было б из-за кого! Из-за барыги потного!

— Замолчи.

— Я-то замолчу, вообще могу не разговаривать. Ты уже утонула в романтических соплях, живешь будто в Санта-

Барбаре. Вернись на землю-то. Иначе до шестидесяти так и будешь принца Сережу ждать. Выкини его из башки. Сажай к черту, другого тебе найдем. Вон, пол-отдела у нас неженатых, пьют, правда, но сейчас все пьют. Приведешь себя в порядок — отбоя от ухажеров не будет.

Марина достала из сумки платочек и зеркальце.

— Не надо мне никаких ухажеров. А здесь,— она кивнула на уголовное дело, торчащее из сумки,— нет состава преступления.

— Ну и дура.

На работе Марина задержалась почти до одиннадцати вечера. В отделе никого не осталось, кроме кемарившего на вахте сержанта. Полчаса назад из ее кабинета вышли потерпевший и свидетель по мошенничеству. Как и предполагал Сергей, они примчались по первому звонку, готовые оказать правосудию любое содействие. Марина по очереди передопросила господ и окончательно убедилась, что господа врут. В общих моментах они, конечно, договорились, но в мелочах... Она отразила мелочи в протоколах, дала расписаться и попрощалась с господами без всяких нравоучений о недопустимости лжи.

Странно, но сейчас Марина чувствовала какую-то необыкновенную легкость, словно тяжелый туман, давивший на сознание последние годы, неожиданно рассеялся после порыва ветра.

Да что, действительно, с ней происходило? И права Ленка — она жила какими-то химерами, глядя в одну-единственную точку и не пытаясь от этой точки оторваться. Кто заколдовал ее? Неужели этот прохвост, сидящий сейчас на нарах, пускай даже по липовому обвинению?

Но, с другой стороны, он таким раньше не был. Не был ведь? Или...

Она не хотела видеть его таким. Любовь, словно ретушь на фотографии,— убирает морщины и выделяет румянец.

А три года не могут изменить сущность человека, какими бы событиями эти годы ни были наполнены. Да и десять, и пятьдесят лет. Сущность — это фундамент, стержень, все остальное — мишура. Марина смотрела только на мишуру, ослепленная и зачарованная блеском. За три года блеск потускнел, растворился, а стержень — вот он. Смотри и наслаждайся. «Жизнь — штука длинная, но она может быть и короткой. Запомни, малыш».

«Запомню, запомню, Сережа... Сядешь ты у меня завтра в „автозак" и поедешь в домик с видом на Неву, прямо в своем „Хуго Боссе". А угрожает мне каждый первый, привыкла. Я три года страдала, теперь ты три годика помайся. Чтобы все по-честному, по совести...»

По совести?

Так ведь им это и надо! Ведь дело-то в самом деле липовое. О Боже мой... Как все точно рассчитано! Чтобы брошенная любовница да не отыгралась? Отыграется!

«Стало быть, если я арестую Сережу, Буйнов получит клиентов, Косицын — новую тачку, а я... Что получу я? Наслаждение местью?

Да, я ужасно хочу отомстить ему, разорвать, растоптать, упечь. Чтобы гнил он на шконке с туберкулезниками, чтобы мерз на лесосеке и ждал гнилую баланду. Чтобы вспоминал меня каждый свой денек. И знал, что это я, лично я ему, гаду, курорт устроила. За дело, по совести!

По совести?..

Ладно бы действительно он кинул кого. Но он же невиновен. И я это знаю, и он, конечно, знает. За какое ж тогда дело? За личное?

Как я-то буду жить после этого? Он мерзавец, но я... Какой у меня стержень? Какой фундамент?»

Марина нашла в Ленкином столе сигареты, закурила. Домой идти не хотелось, утром она опять сцепилась с матерью из-за какой-то ерунды.

Она закуталась в платок, накинув его поверх пиджака.

«А выпустить? Ленка решит, что я и правда хочу вернуть его таким вот образом. И ничего не докажешь. Начальству стуканут, начальство начнет пальцем тыкать — почему не доложила про любовь-морковь? Почему не доложила, что ты лицо заинтересованное? А? Преступника на свободу отпустила! За это можно и саму привлечь. Привлекать не будем, но... Передайте дело другому следователю. Незаинтересованному.

Но это все так, чепуха... А вот что решит Сережа? Будто я испугалась? Или до сих пор люблю его? Ведь он возомнит о себе бог весть что, ему и в голову торгашескую не придет, что я выпускаю его не за голубые глазки и не из-за угроз дешевых. А потому, что он невиновен! По данному, конкретному уголовному делу! Не по личному, а по уголовному».

Тупичок. И как это ни печально, но прав Сережа. «Не путай, малыш, личную шерсть с государственной, не по-честному это».

Какой бы скотиной он ни был — не по-честному это.

Тупичок.

Огонь сигареты обжег пальцы. Марина чертыхнулась. Двадцать два тридцать. Завтра в шестнадцать она приходит к нему. Либо с подписанной прокурором санкцией (а он-то подпишет, согласовано все), либо с постановлением об освобождении ввиду отсутствия состава преступления. И увидит его довольную физиономию, услышит пренебрежительное: «Никаких сомнений, малыш, все так и должно быть».

Хватит! Можно метаться из угла в угол до одурения, выход из тупичка от этого не найдется.

Марина открыла блокнотик, нашла домашний телефон бывшего сокурсника Бори Григорьева, ныне зама начальника отдела РУОПа. Позднее время не смутило Марину — Боря вряд ли ложится до полуночи.

Она не ошиблась. Трубку, правда, сняла жена, позвав Борю к телефону.

— Не разбудила, родной?

— Мариш?

Чуть поболтав о формальностях, Марина перешла к делу:

— Мне нужна кое-какая информация по моему делу. Возьми ручку, черкани. Взял? Фамилия — Измайлов. Сергей Владиславович. Президент компании «Тетрис». Это компьютерные поставки. Второй — Буйнов Олег, отчества не знаю. Фирма «ОБИ». Прокинь их завтра до обеда по вашей базе. Все, что есть. Если сможешь, узнай, какие у ребяток «крыши». Измайлов год назад по убийству одному проходил. Официально — как свидетель, неофициально — как заказчик. Боренька, я понимаю, что у вас секреты, волокита, но мне очень надо. Просто не представляешь, как... Постарайся. Телефон мой помнишь? Заранее спасибо, пока.

Марина заперла дело в сейф, выключила настольную лампу и поехала домой.

Адвокат ждал Марину возле изолятора. Он был из дорогих, Марина имела с ним дело около года назад, когда он защищал братка, отобравшего машину у пролетария. Защитил настолько успешно, что пролетарий вспомнил, что сам дал покататься братку на «девятке». А тот, оказывается, заблудился — после начал хозяина разыскивать, чтобы извиниться и машину вернуть, да не успел. Прямо в машине ГАИ и повязала. Хотел убежать, но в пьяном виде разве можно убежать от трезвых? В кабинете у Марины браток с терпилой облобызались, а адвокат смахнул сентиментальную слезу, радуясь, что не позволил невинному стать жертвой следственной ошибки.

— Здравствуйте, Марина Александровна,— адвокат чуть поклонился, приветствуя следователя.— Чем порадуете?

— Здравствуйте, Владимир Львович. Давайте не на улице.

— Конечно-конечно, прошу,— адвокат дернул на себя тяжелую дверь изолятора.

— Дело, конечно, слабенькое,— сказал Владимир Львович, когда они с Мариной оказались в следственном кабинете.

Марина пыталась угадать, знает ли адвокат про ее отношения с его подзащитным. Скорее всего, да, Сергей вряд ли стал бы держать такой козырь при себе. Но при первой встрече, да и сейчас тоже, Владимир Львович об этом секрете не заикался и даже не намекал на свою осведомленность.

— Вы передопросили людей, Марина Александровна?

— Да, вчера.

— И каково ваше мнение?

— В целом показания совпадают.

— А не в целом?

Марине ужасно не хотелось общаться с адвокатом, даже с учетом того, что он сейчас не «разваливал» дело, а действительно защищал невиновного. Впрочем, ответить она не успела — дежурный привел Сергея.

— Здравствуйте, господа.

Сергей держался спокойно, будто решалась не его судьба, а вопрос — какой ресторан выбрать для ужина. И все же от Марины не укрылись его ночные переживания — вчера Сережа выглядел гораздо свежее.

— Добрый день, Сергей.

Адвокат ободряюще улыбнулся, достал из портфеля футляр с очками. Наверное, для него это уголовное дело тоже было необычным, если, конечно, Сергей рассказал ему про Марину. Приходя в камеру, Владимир Львович, как правило, уже знал конечный результат и в зависимости от этого планировал свое поведение перед подзащитным. «Отпустили тебя, мой дорогой, не потому, что следователь добрый, а потому, что я уговорил его быть добрым. На небольшой взаимовыгодной основе».

А сегодня не было никакой коммерческой основы. Адвокат даже не намекал. Кто его знает, как этот намек подействует? Если коммерческий мотив с личным не совпадет?

— Здравствуйте,— Марина вытащила дело.— Садитесь.

Сергей присел. Он, не отрываясь, смотрел на Марину, словно психотерапевт.

Марина неожиданно улыбнулась, вспомнив, как Вадик Михайлов пару месяцев назад здесь же, в изоляторе, допрашивал кидалу, увлекавшегося гипнозом и решившего применить свои навыки на Вадике. Вытаращился и давай гипнотизировать. Вадик смотрел-смотрел, а потом из транса вышел и хрясь кидале по морде: «Ты чего, Кашпировский недоразвитый, творишь? Я тебе сейчас сам терапию устрою...»

Сергей воспринял улыбку как хороший знак и надменно ухмыльнулся.

Марине хотелось поскорее закончить с неприятной процедурой.

— Владимир Львович,— она обратилась не к подследственному, как это обычно принято, а к адвокату,— я не усматриваю в действиях вашего подзащитного состава преступления и освобождаю его из-под стражи.

Владимир Львович, задержавший дыхание, с облегчением выпустил воздух из легких.

— Вы очень грамотно оценили имеющиеся в деле улики, Марина Александровна. Позвольте поблагодарить вас за профессионализм и, главное, за исключительную порядочность. А о нашем вчерашнем разговоре я прекрасно помню. Спасибо большое еще раз.

Никакого разговора не было, адвокат умело отрабатывал клиентские деньги. Вероятно, большие деньги.

Марина ничего не ответила. С одной стороны, ей было противно, а с другой — пускай Сережа платит.

— Вот, ознакомьтесь и распишитесь,— Марина протянула Сергею постановление об освобождении.

— Да,— засуетился адвокат, надевая очки.— Давайте взглянем.

С минуту оба внимательно вчитывались в каждое слово, наконец защитник утвердительно кивнул и указал место для подписи.

— Все в порядке. Вот здесь, Сергей Владиславович.

Сергей размашисто черкнул. Едва уловимая тень облегчения мелькнула по его лицу.

— Свои вещи можете получить у дежурного. До свидания.

— А что с уголовным делом? — напомнил адвокат.

— На следующей неделе я его прекращу.

— Замечательно. Ну что ж, Сергей Владиславович, поздравляю вас. Пойдемте к дежурному, я помогу вам оформить расписку. До свидания, Марина Александровна. Мне доставляет огромное наслаждение работа с вами.

— Мне тоже,— буркнула в ответ Марина, пряча в сумку уголовное дело.

В коридоре, пока дежурный возился с адвокатом, ей пришлось остаться наедине с Сергеем. Разговаривать с ним не хотелось, но все же Марина спросила:

— Ну как, ты доволен? Ты же этого добивался?

Сергей, закуривая сигарету, пожал плечами:

— Можно подумать, у тебя был другой выход. Желаю удачи, малыш...

— А тебе выиграть твой тендер.

На выходе из изолятора, рядом со шлагбаумом, она заметила группу встречающих. Там были и женщины с цветами. Наверное, любимые женщины. Да, Сережу есть за что любить.

Косицын ждал Марину в кабинете, сидел за ее столом и играл с радиотелефоном. Ленка колдовала над очередным делом.

— Ну что, Мариша? Есть сведения, что Измайлов благополучно вышел?

— Во-первых, здравствуйте, а во-вторых, разрешите мне сесть.

— Да, это конечно,— Косицын вылез из-за стола и спрятал трубку в пиджак.— Пожалуйста, присаживайтесь.

— А теперь я еще раз напомню вам, что являюсь независимым процессуальным лицом и перед вами отчитываться не обязана. В действиях Измайлова нет состава преступления, и вы это прекрасно знаете. Никакой прокурор не подписал бы санкцию на арест.

— Да ты к нему даже не ходила,— прошипел Косицын.— Кого ты из себя строишь, девочка? Бывшего трахаля решила вытащить? Лицо независимое... Хорошо, видно, он тебя имел.

— Пошел вон, козел картонный! — Марина импульсивно схватила стоящую на столе чернильницу.— Трубу свою не потеряй, лизоблюд.

— Никуда твой хрен не денется,— уже из дверей добавил обэпник.— Все равно прикроем. И тебя вместе с ним. Через вентиляцию сношаться будете.

Чернильница полетела в голову Косицыну, но тот успел ретироваться. Дверь украсило огромное пятно, брызги впечатались в обои, осколки усеяли пол.

Ленка отреагировала вяло:

— Напрасно. Все-таки настоящий хрусталь. Богемный.

Марина бессильно упала на стул, минуты две сидела молча, затем поднялась и, достав из-за шкафа швабру, принялась подметать осколки.

— Привет, девчоночки! — Оперативник убойного отдела Управы Миша Пастухов, вечно улыбающийся толстячок, перешагнул порог кабинета и снял кепочку. Когда-то Миша работал в районе, а потому девчонок знал превосходно.

— Заходи, Миша,— Ленка повернулась к маленькому столику с чайными принадлежностями.— Чай будешь?

— Не откажусь. Не погода, а голое издевательство. Ну, Мариш, тебе передали?

— Да,— кивнула Марина, открывая стол. Достала дело.— Только вряд ли вы найдете там что-то интересное. Обычный долговой вариант. Я вчера его прекратила.

— Все и происходит из-за самых обычных вариантов.— Миша снял плащ, бросил на стул и пересел в старое, потертое кресло для почетных гостей.

— А что стряслось-то? — Ленка закончила возню с чайником.

— Увы, все то же,— Миша взял уголовное дело.— Убили.

— Кого?

— Да барыгу одного, Измайлова. В парадняке вчера уложили, возле лифта. Подстрелили. Семь пуль. У Маришки дельце на него было, взглянуть хочу, может, что и высмотрю.

— Сергея?! — вытаращилась Ленка.

— Да. Ты тоже его знала?

— Так... Случайно. Чуть-чуть. И что, глухо?

— Ну ты даешь, зачем же я сюда приехал? В принципе, там причина понятна, но пока киллерюгу не установим... Хотя хрен его знает, может, еще какие заморочки у приятеля были. Тут вот одну мокрушку раскрутили. На любовной почве история. Смешно получилось.

Муженек с женушкой жили в отдельной квартире. Бухарики жуткие, пропили все. Приятеля муженек в гости пригласил как-то, такого же хроника, но при деньгах. Наследство тот от бабки получил. Выпили за наследство, после еще, ну и до отключки.

Некоторое время спустя муженек проснулся, глядь, а женушка в одной койке с приятелем. Конечно, никакой любви-сексу между ними не было и быть не могло, но муженек приревновал, взял подушку да спящему сопернику кислородец и перекрыл. Придушил за обиду. После трупик в шкаф перетащил, тряпьем забросал и на его место спать улегся.

Женушка глаза продрала: «Где Васька?» — «Ушел. Но деньги оставил». На эти бабки квасили супруги месяц без пробуду. А Вася так в шкафу и лежал. Хранился, превращаясь в мумию. Хозяевам, право, не до Васи было, жена в шкаф и не заглядывала — чего там, кроме паутины да грязных тряпок, увидишь,— а муженек через сутки уж и позабыл про приятеля. Что же касается червячков да мух — грязно у нас, не прибрано...

Через месяц деньги кончились, пустые бутылки тоже, возникла нужда. Денек милые пострадали, потерпели другой, а после решили квартиру постояльцам сдать, сами же вознамерились к свекрови-старушке перебраться, благо у нее комната пустовала. Денежки от сдачи помогут с пятого на десятое перебиться.

Так и сделали. Сдали квартирку студентам, тоже парочке. За стошку баксов в месяц. Хотя я бы там и бесплатно жить не подписался.

Студенты въехали, пару дней отночевали, потом в шкаф заглянули, вещички убрать. А из шкафа... Смешно, в общем. Студентку на месте отпоили, а студент неделю в больнице отходил. Хлипковат оказался...

Но здесь чистая заказуха, безо всякой любовной драмы.

— Так за что его? — продолжала допытываться Ленка.

— Ну, по основной версии из-за этого, как его, господи... соревнования, что ли?..

— Из-за тендера,— подсказала Марина.

— О! Точно. Из-за него. Измайлов с приятелем бывшим заказ какой-то не поделили. А у приятеля «крыша» крутая, не церемонится. Вот накануне тендера Измайлова и встретили. Четко пропасли. Он к любовнице ехал, у нее в подъезде его и ждали. Возможно, дамочка сама его заманила. Мы ее сейчас во внутренней тюрьме крутим, но пока молчит, зараза. Так что напрасно ты, Мариша, его выпустила, сидел бы сейчас спокойно и чифирил с братвой на нарах.

— Там не было состава преступления,— спокойно ответила Марина.

— А жаль. Теперь раскрывай вот... Слушайте, девчонки, у вас ксерокс есть? Не хочется самому переписывать.

— У секретаря. Только бумагу свою надо. Дефицит.

— Бумага есть, что ж я, проблем не знаю? — Пастухов щелкнул замочками «дипломата».— Мариш, не возражаешь, если я катану?

— Бога ради, там никаких секретов.

— А то нам объем нужен...— Миша скрылся за дверью.

Подруги с минуту молчали, тишину нарушал лишь урчащий чайник. Ленка выдернула вилку и после этого решилась на вопрос:

— Ты это специально?

— Что специально? — уточнила Марина, оторвавшись от постановления.

— Сережу выпустила. Ты знала, что его могут?..

— Мне очень жаль, что так получилось. Мне действительно следовало его арестовать. Даже незаконно. Но я ничего не знала и знать не могла. Ни про тендер, ни про свои заморочки он мне не рассказывал.

— А ты молодец...— непонятно к чему вполголоса сказала Ленка и, упершись подбородком в подставленную ладонь, стала внимательно рассматривать подругу.

Марина не обращала на это внимания. «Пускай, что хочет, то и думает. В конце концов, это не ее, это мое личное дело».

Через полгода Марина вышла замуж за Вадика Михайлова.

СМЯГЧАЮЩЕЕ ОБСТОЯТЕЛЬСТВО

— Ого! Красиво он ее. Я об этом с детства мечтаю,— Величко поддал ногой покореженный бампер «мерседеса».

— О чем?

— Ну, ты представь, какой кайф. Подгоняют к тебе новенькую, красивенькую иномарочку. Конфетку в фантике. Вся блестит, сияет, движок урчит не громче вентилятора. «Феррари» там или «ягуар». Ручной сборки чтобы. Баксов так за полмиллиона. А ты берешь ломик и этим ломиком от всей души как начинаешь ее курочить! Для начала по стеклу, потом по капоту... Разве не кайф? Полный оттяг! Они ее вылизывали, а ты — ломиком, ломиком. Я мужика очень хорошо понимаю. Жена для него лишь поводом была, а истинная причина только в этом.

— В чем?

— Ну, ломиком. Для оттягу.

— Интересная версия. Величко заглянул внутрь салона.

— Кожаная обивка. Да, ребяткам это влетит в копеечку.

— Ребяткам бы на этом свете остаться. А тачек они себе еще набыкуют.— Оперуполномоченный Алексей Данилов попытался открыть переднюю дверь «мерсака», но безуспешно, замок переклинило.— Да, мужик был не в настроении — одним молотком так тачку отрихтовал.

— Я тебе точно говорю, любовь здесь ни при чем.— Младший опер Величко прицелился и ударом ноги выбил осколки из треснутой фары.— О, теперь порядок. Из-за любви он мужичков разукрасил, а «мерсак»-то за что?

— За компанию.

Машина выглядела фантастически, будто участвовала в съемках «Терминатора». Она стояла в центре глухого, заснеженного двора, задними колесами прочно сев в сугроб, усеянная осколками собственных стекол и рваными ранами на никелированных боках. Такие повреждения правке не поддаются, хозяину придется искать новые запчасти. Если, конечно, хозяина удастся поправить. У него тоже рваные раны. Головы и промежности. А голова — не капот и не бампер, новую не найдешь. Промежность и подавно.

Алексей приподнял капот, взглянул на бирку с данными машины. Ого! Девяносто седьмой год выпуска. Новенькая игрушка. Была.

Молоток, валяющийся в метре от «мерседеса», Данилов заботливо накрыл картонкой, чтобы ожидаемое с минуты на минуту начальство не начало хватать вещественное доказательство. Хотя бы до приезда эксперта. Впрочем, отпечатки на молотке — это так, скорее для формальности. Задержанный ничего не отрицает, да и вряд ли потом в отказ пойдет.

— Ну чего, может, в хату сходим? — предложил Величко.

— Я уже был. Свидетели есть, все нормально. Там коммуналка, соседи не спали, в окна таращились, как на спектакль.

— Да, сценка тут была комедийная.

Данилов прибыл на место происшествия первым. Задержанный никакого сопротивления не оказывал, сидел в сугробе и молчал. Двор хорошо освещался, прямо над машиной висел фонарь. Пятна крови на белом снегу делали место происшествия похожим на ристалище после рыцарского турнира. Картинка изрядно впечатляла. «Скорая» еще не уехала, обоих потерпевших затолкали в одну машину, где врач проводил сеанс экстренной терапии.

Алексей пересадил задержанного из сугроба в «уазик» и в сопровождении участкового отправил в отдел, сам оставшись выяснять обстоятельства. Врач на вопрос «Ну как?» ответил так же просто: «А никак»,— что означало возможный летальный исход.

Данилов уточнил, куда отправят тяжелораненых, и поднялся на второй этаж дома, в квартиру задержанного. Несмотря на ночное время, в квартире никто не спал, и картину случившегося удалось выяснить довольно быстро. Спустившись вниз, Алексей наткнулся на своего коллегу Стаса Величко, приехавшего на подмогу. Стас, разумеется, был не в восторге — если Данилов дежурил по графику и завтра имел законный отсыпной, то Величко подняли с постели, ибо жил младший опер в двух шагах от отдела и обслуживал территорию, где случилась оказия.

«Что меня теперь из-за каждой бытовухи дергать будете?» — поворчал Величко для приличия, но все-таки оделся и пришел, предполагая завтра же заняться обменом жилплощади.

Данилов его успокоил, сказав, что раскрывать тут нечего, он вполне справится один, но Стас решил засветиться перед начальством для поднятия репутации, поэтому остался.

В арку проник свет фар. Во двор въехали «Жигули» с мигалкой. Данилов узнал начальника ОБЭП Самойлова, дежурящего сегодня по райуправлению от руководства.

— Ну, что у вас? — Шеф обэповцев бегло осмотрел живописный пейзаж.

— Групповое изнасилование с целью грабежа! — подсуетился Величко.

— Чего? — Самойлова резанула по уху неграмотная юридическая терминология.— Что значит «с целью грабежа»?

— Я объясню,— Данилов решил внести ясность.— В ноль пятьдесят прошла заявка по «скорой помощи» — убийство двух человек.

— Кто вызвал?

— Сам товарищ и вызвал. Из квартиры.

— Так.

— Нам продублировали, мы приехали. Задержан Буковский Константин Андреевич, шестьдесят девятого гэ рэ, продавец в магазине «Спорттовары», со слов — не судимый.

— Что произошло?

— Он жену ждал из гостей. У него жена есть, в коммуналке вон, на втором этаже живут. Спать не ложился, телик смотрел. Жена позвонила, сказала, что выезжает. Где-то без пятнадцати двенадцать звонок в дверь. Он открывает — жена в юбке разорванной, нос разбит, ревет. Так и так, тормознула тачку, «мерсак», попросила подбросить за двадцатник. В тачке два быка, а она не разобралась и сдуру села. Орлы под газом, все по фиг. Во двор приехали, двери в тачке заблокировали, ну и... По очереди. Девка ничего, приятная. После всего деньги отобрали, колечки сняли и из машины выкинули.

— Сопротивлялась?

— Конечно. Водила ей нос сломал, а второй «бабочку» к горлу приставил. Пришлось отдаться, «кабаны» без мозгов, изуродовать могли. Муж как услышал, прямо в чем был — в тапочках, трениках да в майке — на улицу. В прихожей молоток соседский валялся, он его прихватил. А тем чудикам не повезло, стали назад выруливать да в сугробе забуксовали. Парень подлетел и по лобовику тресь молотком.

Эти выскочили, он по очереди их встретил, оглоушил и давай по головушкам лупить. Минут пять дубасил. Потом вот «тачку»... «Скорую» сам вызвал.

— Как эти?

— Один не жилец, открытая черепно-мозговая, мозги вон на снегу. Второй вытянет, но пожизненная психушка обеспечена.

— Не очень-то умный, похоже, и был.— Шеф потоптался на месте и подошел к изуродованной машине.— Да, красавица. Так жлобам и надо. Оборзели в доску. Свидетели есть?

— Да, полдома. Мы опросили. Сейчас группу ждем. Следователя городского вызвали, районный на краже.

— Прокурорский приедет?

— Нет, наш, ментовский. Мужички пока живы, если кони двинут, тогда дело в прокуратуру передадут.

— Данные установили? Этих, потерпевших, мать его базар.

— Да, у одного права, у второго паспорт. Судя по внешности, дегенераты из братвы. Пассажир из Купчино, второго пока не пробили.

— Хорошо, оставайтесь, ждите группу,— дал указание шеф, направляясь к машине.— Я позвоню из отдела в Главк, объясню, что к чему. Если приедут вдруг оттуда, скажите, что я был, сейчас в отделе. Машину после осмотра — на стоянку, а то разворуют.

— Хорошо.

— Хотя, если честно...— Самойлов задержался.— Никакой группы тут и не надо! Я бы тоже так, наверное. Убил бы, к черту. И правильно сделал бы. Теперь им зато никакой адвокат не поможет. А так получили бы условно... Или вообще не получили бы.

Шеф с силой хлопнул дверью. «Жигули», выбросив из-под колес веер снега, тронулись с места.

— Ну что, я нужен? — Величко не радовала перспекти-
ва мерзнуть во дворе в ожидании группы. Тем более что
группа могла появиться лишь под утро.

— Нет, иди спать. Тут работы-то никакой. В отдел за-
скочи, пускай постового пришлют, добро это охранять,—
Алексей стукнул ладонью по крыше «мерседеса».— Мне
еще людей опрашивать, а тут никого.

— Лады, заскочу.

Стас поправил шапку и удалился в сторону отдела. Данилов приоткрыл дверь, уселся на сиденье, закурил.

«Да, хорошая тачка. Одним молотком так раскурочить.
Здорово муженек разозлился. Интересно, а как бы я? Если
б кто Катюшку мою... Тоже, наверное... Состояние аффекта. Любовь. Смягчающее обстоятельство».

Алексей докурил сигарету и, не дожидаясь постового,
пошел в дом записывать объяснения, пока свидетели не
легли спать или не передумали помогать правосудию.

— На, оденься. Жена передала,— Данилов достал из
пакета шерстяной свитер и протянул Косте.

— Спасибо. Как она?

— Нормально. Нос не сломан.

Костя снял куртку, накинутую прямо на майку, натянул
свитер. Сел.

— Ну, рассказывай.

— Чего рассказывать, сами же все знаете. Как там эти?..

— Я еще не звонил в больницу.

В действительности из больницы позвонили сами.
Один из приятелей отжился, второй — в коме. Но Данилов как опытный опер о таких вещах до поры до времени
не сообщал подозреваемым.

— А о случившемся я знаю со слов свидетелей. Полагается и тебя выслушать. По закону.

— По закону,— мрачно ухмыльнулся Костя.— Все правильно свидетели говорят, так оно и было.

3*

— Старик, я в данном случае на твоей стороне. Целиком. Ты все сделал правильно, заступился за жену. Ну, переборщил немного, бывает...

— А закон?

— Что закон?

— На моей стороне?

— Пока я не могу ничего обещать, надо ждать. Для этого следствие и существует — экспертизы, допросы... С точки зрения человеческой логики ты прав, сотню раз прав, но... Мы пока живем в государстве, и, стало быть, карать за преступление должно государство, каким бы плохим оно ни было. Иначе, сам понимаешь, завтра все возьмутся за молотки и автоматы. Поэтому хочешь ты, не хочешь, но говорить что-то придется. Нет, можешь, конечно, официально отказаться, право имеешь, но поверь, это никакой пользы не принесет. Из-за двух отморозков жизнь ломать?

Костя еще не согрелся, в камере сквозило, в кабинете тоже.

— Закурить не дадите?

— Да, бери. Не, старик, ты рассказывай как есть, а запишем мы самое главное, лирику можем опустить. Правда, лирика в некоторых случаях поважней будет.

На самом деле выслушивать в семь часов утра лирику не очень хотелось. Глаза слипались, башку, словно магнитом, тянуло к столу. Дежурный следователь все еще торчал на месте происшествия, осматривая машину, а Данилова послал опросить задержанного. Судя по всему, на осмотре он проторчит долго, чтобы самому не принимать решения о мере пресечения для Буковского.

— Так что я тебя понимаю, Костя.

— Пишите как хотите.

— Да напишу я... Ты представь, что я случайно сюда зашел, а ты должен рассказать о случившемся. Вот и рассказывай. О чем хочешь. Давай так. Ты с себя начни, кто ты, что ты, а уж после к разборке перейдем.

Костя достал из куртки платок, приложил к кровоточащей ране на тыльной стороне кулака. Вероятно, порезался, когда бил стекло.

— Ладно... Паспорт видели? Родился здесь, в шестьдесят девятом. Жил до двадцати пяти с предками, на Гражданке. После свадьбы сюда перебрались.

— К жене?

— Нет, у Нади тоже с жильем не светит. Снимаем комнату. Десять метров. За полтинник зеленых в месяц. В принципе, недорого.

— Дети есть?

— Ну, пока как-то... Всякие причины...

— Ладно, это неважно,— Данилов по тону Буковского понял, что тема деликатная, и решил не заострять на ней внимания.— То есть вы тут четыре года живете?

— Три с половиной. Сначала пытались у моих жить, но, сами понимаете, свекровь с невесткой в одном доме...

— Понимаю.

— Вот. После школы армия, потом шоферил в грузовом парке на «КамАЗе», последний год продавцом в спортивном. Лыжами торгую.

— Что, шоферить надоело?

— Не надоело, но... Здесь поспокойнее, да и зарплата получше. Приятель пристроил. А чего такого? У нас девчонка в классе была, умная, с золотой медалью школу закончила, в универе училась. А сейчас порошками стиральными возле метро торгует. Наука наукой, а жрать-то надо. Денег, конечно, не хватает, я у бати «копейку» беру, халтурю по выходным, как раз на квартиру. Надюха в парикмахерской, мастером. Знаете на Октябрьском салон, рядом тут?

— Знаю.

— Два через два. Вот и вся жизнь.

— Точно с ментурой никаких проблем?

— С ГАИ были. Один раз права отобрали, пришлось ходатайство писать.

— За что отобрали?

— Остаточные явления.

— А как вообще с этим делом?

— Да как у всех, наверное. Праздники, дни рождения...

Костя задумчиво уставился в пол, вероятно думая, что еще рассказать о себе.

— А с Надей как? — Данилову хотелось оживить беседу, иначе оба могли уснуть.

— Я ее люблю,— неожиданно изменившимся голосом ответил Костя.— Очень люблю. И она.

«И она» было сказано на полтона тише, что, конечно же, не укрылось от Алексея.

— Я это понял. Судя по тому, как ты их...

Костя выглядел старше своих лет, ему смело можно было дать тридцать пять. Глубокие морщины, ранняя седина. Выражение «жить, чтобы выживать» вполне подходило к его внешнему облику. По комплекции он явно уступал своим сегодняшним жертвам.

— Я ее со второго класса... люблю.

— А почему не с первого? Во втором уже поздно об этом думать. Старость,— Алексей подавил зевок.

— А я влюбился! Правда... Надю к нам из другой школы перевели. Ну, я сразу и...

У Буковского резко потеплел взгляд, он стал рассказывать про Надю скорее самому себе, нежели сидящему напротив оперу. С неподдельной нежностью, смешанной с грустью. Про то, как подарил ей на уроке шоколадку, тайком подсунув в парту, как помог на контрольной, а сам схлопотал «пару», как долго не решался пригласить в кино, но все же пригласил. Как поцеловал в подъезде, а после неделю не появлялся в школе, напившись ледяной воды и заработав ангину. Как чуть не выпрыгнул из школьного окна прямо на выпускном вечере, когда случайно застал Надю в обнимочку с пацаном из параллельного. Как раз в неделю писал ей из армии, хотя она ни разу не сказала, что он нравится ей. Как месяц беспробудно пьянствовал, вернувшись и узнав, что Надя выскочила замуж за того самого пацана из параллельного...

В общем, ничего особенного, обычная жизнь, дорожка, по которой проходит каждый второй. Просто у кого-то она прямая, а у кого-то извилистая, с ямками и трещинами. Но, по большому счету, одинаковая. Записки, шоколадки, портфель до дому, кино, поцелуи, письма...

Данилов не прерывал говорящего, хотя его монотонный голос действовал сильнее снотворного. Человек только что уложил двоих, но еще не до конца осознал это — какой-то выход эмоций необходим.

— Они недолго жили, год где-то. Я ведь Надю еще до армии предупреждал, чтобы она Генкой не увлекалась. Не потому, что ревновал, Генку как пацана мы хорошо знали. Урюк редкостный. Урюком был, урюком и остался. Я знал, что ничего у них не получится. Потом уже с Надей говорил — зачем? Сама до сих пор не понимает.

— А ушла почему?

— Генка ее и не любил. Он ее для интерьера завел, как куклу красивую. За крутого себя держал, стало быть, все лучшее — ему. Чтоб завидовали, вот я какой, захотел ее и получил. А Надя-то не разглядела его как следует. После только поняла, к кому попала. Свекровь там такая же, за каждым шагом шпионила, в измене уличить хотела. А вышло наоборот — однажды Надя раньше с работы вернулась и застукала верного муженька с птичкой. Он и не оправдывался, мол, я тут хозяин, кого хочу, того и привожу.

Надя к матери ушла, на развод подала. Без претензий. Генка пару раз на суд не пришел, их и развели, благо детей не было.

Я за то замужество Надю не осуждал и сейчас не осуждаю. И потому что люблю, и потому что... Всякое ведь бывает, кто не ошибается?

— Конечно.

Данилов вспомнил, как Стас Величко однажды решил чужую семейную проблему. Две тетки с его территории не поделили одного мужика. И давай друг другу пакостить по мелочи. То у одной неизвестные дверь сломают, то у второй окно камнем вышибут. Потом до мордобоя дошло. А мужик сам определиться не может — то с одной, то с другой. Такое впечатление, как специально. Плохо разве?

Пришлось Стасу за него определять, надоело из-за их локального конфликта бумагу переводить. Вызвал он всю троицу, посадил перед собой, а потом взял и посчитал баб: «Эни-бэни, рики-факи...» Третий лишний. Лишняя. «Все, граждане, объявляю вас мужем и женой. Поздравляю. Ступайте в загс, и совет да любовь. И учтите, дамочки, будете опять друг другу личики царапать, я вашего козлика ненаглядного отправлю пастись в таежный заповедник. Слышал, козлик? А теперь — в загс».

Оставшаяся лишней претендентка не успокоилась, написала жалобу в прокуратуру. «Оперуполномоченный Величко неправильно нас посчитал. Не иначе как от этой крашеной лахудры получил на лапу. Требую посчитать заново. Буду очень признательна».

— Я-то с выпивкой завязал, проку от нее никакого, только мать расстраивать. К бате в парк устроился, батя тоже шоферил. На девок старался не смотреть, почему-то чувствовал, что надо Надю ждать. Не, гулять-то гулял, как без этого, но все не по-серьезному. Про развод Надин узнал, ну и к ней. Целый год от нее ни на шаг. Халтурил в две смены, чтобы подарки делать. Сумочка ей как-то понравилась одна. Дорогая. Я месяц по ночам «левак» возил. Купил.

О замужестве Надя и слышать ничего не хотела, сыта, мол, по горло, но через год все ж согласилась. Не знаю, поверите или нет, но я к ней сейчас отношусь как тогда, во втором классе. Говорят, любовь проходит через годик-другой, остается привязанность, привычка. Так вот я под эту схему не попадаю.

Не все, конечно, гладко. Тут и бытовые заморочки, и квартирные... Свекровь, ну, мать моя, обратно... Надя срывалась иногда. Но все это так, для встряски. Главное, любовь чтоб была, а с квадратными метрами разберемся. Вон, у меня ребята знакомые — еще похуже условия.

— Да, это, в общем-то, не главное,— согласился Данилов.— Хотя, как говорил Булгаков, человечество погубит квартирный вопрос. А сегодня-то что произошло?

Буковский сунул ладони под мышки, пытаясь согреться.

— Надя после работы к подружке поехала. У нее до четырех смена. Я ее понимаю, с подружками тоже надо встречаться. Но как чувствовал... Подружка на Гражданке живет, то есть, считай, на другом конце. Год не виделись, вот та и пригласила. А женские разговоры, сами знаете, не час и не два, пока душу не отведут... За встречу, как водится, приняли. Немного. Шампанского вроде... До одиннадцати и прокалякали. Надя позвонила — выезжаю. Обидно, я ей сам и посоветовал тачку поймать. У нее и денег-то, наверное, не хватило, я сказал, что сам расплачусь. Могла бы и на метро успеть, но до нас от метро тяжело добираться. Маршрутку еще не пустили, а автобусы только в часы пик ходят.

— Остаться не могла?

— Могла, подружка предлагала. Но... Я очень хотел ее видеть... Я телик смотрел, соседки уже спали. Без пятнадцати звонок в дверь. У Нади ключи есть, она никогда не звонила. Я — открывать. Она на пороге. Лицо в крови, пальто нараспашку и юбка разорвана. Ничего не говорит, плачет да на улицу показывает. Я ее сразу в ванную: «Что случилось?!» Надя чуть в себя пришла, кровь смыла, рассказала кое-как. Тачку на Гражданке поймала. А там два отморозка, да еще нарытых. Уже в дороге начали херней маяться. Надя выйти хотела, но никак. Если б деньги были, так откупилась бы. А когда сказала, что муж заплатит, эти заржали и давай выделываться про «натуру» да «свободный секс». Во дворе «тачку» заглушили, ножик раскладной типа «бабочки» к шее и... Суки, ненавижу...

Костя сжал кулаки и стукнул по коленям.

— Быки поганые, бабок набрали, ряхи нажрали по кабакам да баням, остальных людей за быдло, скотину держат. Ни мозгов, ни совести. Я, короче, к окну — так, скорее по инерции. Понятно, что укатили уже. А они в сугробе завязли на своей «бомбе». У нас двор узкий, эти решили по газону к арке срезать. Прямо под фонарем и забуксовали.

Я, по правде говоря, и не соображал, что делал. Не знаю, как объяснить. Никогда в жизни не дрался, даже в детстве. Надя остановить хотела — нож у них, нож. У нас в коридоре ящик соседский с инструментом, я крышку подцепил — сверху молоток. Схватил — и на улицу. В чем был, в тапочках да майке. К «тачке» подлетаю, за ручку раз — заперто! Закрылись, суки! Как газанут! Да толку-то... Тут я молоточком по лобовому и приложился. Первый выскочил, заорал что-то, пальцы растопырил... Молодой, может, и в армии не служил, «кабанистый» такой, выше меня на голову. Да мне уже по фиг все было, даже не понял, что он там кричал. В лобешник засветил молотком, после по затылку, кажется, пару раз. Второму тоже, водиле. Он даже из машины выскочить не успел, только башку высунул... Дальше все как в тумане...

— Долго их месил?

— Не засекал. Я ж говорю, плохо соображал. После «бомбу» разукрасил. Чуть отлегло — смотрю, эти не шевелятся. Молоток бросил, пошел «скорую» вызывать, а то замерзнут да сдохнут еще. Отвечай потом за козлов. Надя на диване лежала, кровь пыталась остановить. Соседки проснулись, бегали по квартире, верещали. Надя сказала, что колечки эти суки сняли. Перстенек с белым камушком, недорогой, простецкий. И обручальное... Я хотел вернуться, а тут вы... Вы посмотрите, пожалуйста, у них. Или в машине. Может, выпали. Главное — обручальное, перстень-то ладно. Тоненькое такое, там с боку две царапины рядышком.

— Ладно.

— Тачку-то я сгоряча... Но если надо, оплачу или с мужиком знакомым договорюсь, он не такие лохматки вытягивал.

Данилов понял, что Костя немного успокоился, и решил не морочить ему голову.

— Боюсь, Константин, что платить будет некому. Водила кони двинул.

— Вы ж сказали, что не знаете еще...— побледнел Буковский.

— Знаю. Телефонограмма из больницы пришла.

— А второй?

— Пока дышит. Жить будет вроде. В специально отведенном месте. Перестарался ты малость.

— Но я же... Они ведь Надю... Они же...

— Да остынь ты... Я сейчас думаю, как бы сам на твоем месте...

— Что мне теперь будет-то? Посадите?

— Я б отпустил, говорил уже. Состояние аффекта, смягчающие обстоятельства. С другой стороны — один труп, а второй полутруп. Суд, в общем, решит. А так как наш суд — самый непредсказуемый суд в мире, сам понимаешь...

— И когда суд?

— Месяца через три, не раньше. Пока экспертизы всякие, допросы, очные ставки... Экспертизы нынче долго делаются, денег нет у министерства. Но тебе-то еще и лучше. Куда торопиться?

— Так вы меня чего, не арестуете?

— Нет, скорее всего. Зачем тебя арестовывать? Куда ты денешься? Подписку о невыезде в зубы — и гуляй. Правда, решаем это не мы — прокуратура, но следаки у нас в районе нормальные, без задвигов. Тебе сейчас не нас бояться надо. Братаны наверняка из братства, братство обидится, мести захочет. Так что я бы посоветовал тебе с женой сменить адресок.

— Захотят — везде найдут.

— Тоже правильно. Тогда лучше оставайся. Будут накатывать — звони.

Данилов нашел бланк, записал вкратце показания Буковского, дал расписаться. Подробно утром допросит прокуратура.

— Все, Константин, пойдем в камеру. Посидишь до приезда следователя. Наде я объясню... Ты, в общем, все правильно сделал, таких уродов только так и надо...

Буковский поднялся со стула, зачем-то убрал руки за спину.

— Про колечко не забудьте, а? Может, найдется?

— Найдется-найдется. Пошли.

На месте происшествия возилась следственная группа. Данилов, спросив разрешения у следователя, залез в машину. Осмотрел салон, заглянул даже под коврик.

— Чего потерял? — знакомый эксперт включил мощный фонарик, направив луч в салон.

— «Гайки» золотые не находил? Потерпевшие у потерпевшей изъяли с пальчиков.

— Не было. Сразу бы спросил. Поздравляю, теперь долго отмываться будешь.

— Тьфу, черт! — Алексей посмотрел на руки, черные от экспертной сажи.— Зачем внутри-то мазать?

— Полагается. Иди в адрес да вымой. Смотри, чтоб на куртку не попало.

Данилов поднялся на второй этаж, в квартиру Буковских, попросил разрешения вымыть руки. Надя сидела в своей комнате возле окна.

— Надежда, один деликатный момент,— Данилов оторвал ее от созерцания осмотра.— Надо бы вам в «травму»
съездить, повреждения зафиксировать, и в консультацию
женскую. Причем побыстрее. С машиной я договорюсь,
вас отвезут.

— Да, мне уже говорили.

— Как нос-то?

— Перелома нет, слава богу. Просто разбили.

— Надя, еще момент такой. Кто кольца снимал? Водитель или второй?

— Второй.

— А куда положил, не помните?

— Нет, я просто не видела.

— Хорошо, я понял. Значит, никуда не уходим, ждем
машину. Это недолго. Да, Костя просил носки теплые.
У нас в камере с отоплением неувязочка.

— Сейчас,— Надя достала из шкафа пару шерстяных
носков, положила их в пакет, протянула Данилову.— Он
что, в камере?

— Пока да.

— А потом? Его отпустят?

— Должны. Следователь решит. Скажите, а раньше что-
нибудь подобное случалось?

— Нет-нет,— убежденно заверила Надя.— Он такой ти-
хоня... Он и в жизни-то не добился ничего из-за своего ха-
рактера.

— Ну, насчет «добился» или нет, говорить рановато. А с
головой? Учеты там, травмы, аварии?

— Нет, никогда.

— Хорошо, до встречи.— Данилов кивнул Надежде и
отправился в отдел искать машину.

До закрытия магазина оставалось минут десять. Алексей зашел в торговый зал, отыскал глазами Катю. Сегодня

она стояла в отделе парфюмерии, а не в своем, галантерейном.

— Девушка, что вы мне порекомендуете из свеженького? Я только что из тюрьмы, отстал от моды,— Алексей улыбнулся Кате, не обращая внимания на услышавших про тюрьму покупателей.

— Вам лучше всего вот это.

— «Клеросил»? Так это ж от прыщей. А мне для внутреннего употребления... Ну, привет, заяц.

— Привет, Леш.

— Я тебя на улице подожду, покурю пока.

— Хорошо, я скоро.

Данилов, с минуту поглазев на прилавки, покинул магазин.

Катя работала здесь продавцом второй год, пошла сюда сразу по окончании Института культуры.

Культура страны находилась во временном кризисе, пришлось заняться торговлей. Тут ее Алексей и поймал в сети. Покупал как-то перчатки и поймал ее взгляд, словно солнечный зайчик. Временно ослеп, но, восстановив зрение, взялся за дело. Частично прибегнув к помощи служебного положения. Катя ответила взаимностью без использования упомянутого положения.

Алексею шел двадцать восьмой, и вопрос о женитьбе пора было ставить ребром. Нагулялся, набегался, хотелось погреться у домашнего очага...

Неделю назад он предложил Кате свое мужественное ментовское сердце, твердую руку и получил согласие. Катя его во всем устраивала, и о другой женщине Данилов не помышлял. Договорились подать заявление на следующей неделе, во вторник, чтобы день регистрации пришелся на пятницу, самый удобный для свадьбы день. Потом начнутся заботы, хлопоты, проблемы. Приятные, впрочем, проблемы.

— Ты, конечно, знаешь, что путь к деньгам мужчины лежит через его желудок.

Алексей оглянулся. Две женщины — молодая и постарше — беседовали вполголоса возле дверей магазина.

— Да,— ответила молодая.

— Я нашла самый короткий путь.

— Дихлофос?! Отрава?!

— Да!!! В нем лучшие ингредиенты, химикаты, не остается никаких следов. Добавляешь в салат, и через пять минут...

Из дверей магазина высунулась напудренная мужская физиономия с прилизанным причесоном.

— Дорогая, ты где?

— Дихлофос — это часть твоего приданого,— шепнула мамаша.

— Дихлофос? Кто это?

— У женщин свои секреты.

— А-а-а...

— Так, стоп-стоп. Еще раз, и побыстрее,— появившийся мужичок подошел к троице.— Маша, говори громче, тебя почти не слышно. Последний раз репетируем и снимаем. Молодой человек, будьте любезны, отойдите в сторочку, если не трудно. Спасибо.

Алексей передвинулся на пару метров, только сейчас заметив стоящую на треноге видеокамеру.

— Нашли место,— проворчал он под нос, раздосадованный, что сорвалось раскрытие умышленного убийства по предварительному сговору.

— Начали!

— Ты, конечно, знаешь...

Данилов еще раз выслушал диалог. Катя появилась сзади, с черного хода, подкралась на цыпочках, ткнула пальчиком в спину.

— Фамилия!

— Бонд. Джеймс Бонд.

— Наглая ложь. Вы майор Пронин. Сдавайтесь, миссия провалена.

Алексей обнял Катю.

— Сдаюсь. Что это у вас, кино снимают?

— Рекламу. Пришли утром к Михайловне, директрисе нашей,— так и так, хотим снять рекламу чего-нибудь отечественного. А то, говорят, импорта скоро не будет. А у нас, кроме детского крема «Зайчик» и дихлофоса, ничего нет. Вернее, есть, но сегодня нет. Утром они с «Зайчиком» возились, делали из него крем от морщин, а сейчас вот с дихлофосом. Это от клопов.

— В курсе. Кабинет как-то обрабатывал.

— Как дежурство? Спокойно?

— По-божески. Один труп всего да угон «Запорожца». Горбатого. Представляешь, за неделю третий уходит. И все горбатые. Говорят, сейчас самая модная тачка. «Мерсаки» даром никому не нужны. «Запор» угоняют, внутренности меняют на «поршевские», кузов полируют и толкают за бешеные бабки. Вот она, народная реклама. В анекдотах. А вся эта плесень телевизионная про резинки, порошки и пилюли — выброшенные на ветер деньги.

— А труп?

— Приятель один погорячился.

Алексей вкратце рассказал про ночное происшествие с Буковским. Катя, выслушав, немного помолчала, затем спросила:

— Вы его посадите? Он же защищал свою жену, он не может быть виновен.

— С точки зрения обывательской логики, да, конечно. Но есть законная сторона вопроса. Наказание должно быть соразмерно преступлению. Сейчас у оставшегося в живых братка наверняка появится адвокат, который заявит, что в состоянии аффекта нельзя убить двух человек и раскурочить машину. На следователя опять-таки надавить можно.

У нас был похожий случай. Парень мимо кабака проходил, нормальный, не урод. Два быка зацепились, не помню уж, из-за чего. Давай метелить. Парень приложился неудачно, один хлоп «репой» об асфальт и готов. Самооборона в чистом виде. Парню никаких обвинений, естественно. Выпустили.

А через недельку он к следователю сам приходит и говорит — знаете, не так все было. Это я пьяный из кабака вышел, а ребята болонок выгуливали. На коротких поводках. Не понравились они мне, посмотрели плохо. Так плохо, что решил я одного убить насмерть. И убил.

Следак ничего не понимает — спятил, что ли? А парень стоит на своем, как памятник Кутузову у Казанского. Ну, бога ради. Арестовали, потом суд. Восемь лет получил. Уже после суда я специально к нему в «Кресты» съездил. До суда тоже ездил, но бесполезно, он ничего не говорил. Хотел убить, хотел убить... А тут рассказал. Убитый этот хоть и молодой, но авторитетный оказался, то ли брат у него крутой, то ли сват. К парню подкатили и, в натуре, объяснили — или берешь на себя мокруху, или семейку твою, женщину и дочек, вырежем на корню. Будешь прятаться — не спрячешься. Вот он и взял. Зря.

— Страшно. А если б он раньше все рассказал, вы смогли бы его защитить?

Данилов хватанул морозного воздуха, закашлялся.

— Не знаю. Охрану бы не дали, это точно, но что-нибудь бы придумали.

— Хорошо, но что бы ты сделал на месте Буковского? — не унималась Катя.

— Послушай,— Данилову надоело ток-шоу.— Давай о чем-нибудь другом. Мне на работе головоломок хватает. Мы, в конце концов, ботинки идем мне покупать...

— Сам начал... У нас девчонка сегодня из Венеции приехала, с карнавала. Ты ее знаешь, Ленка, пухленькая такая, в мужской галантерее стоит. Фотки показывала. Обалдеть!

Там сейчас тепло, хоть и февраль. Какой город красивый, сказка. Все в масках ходят, Ленке муж настоящий костюм купил. Маскарадный.

— Что ж она с таким мужем в галантерее торгует?

— Говорит, скучно дома сидеть. Она еще до замужества торговала. Ты не представляешь, как я хочу в Венецию. Подышать ее воздухом, покататься на лодочках...

— Уговорила. Как только получаю тринадцатую, сразу едем. Только ботинки купим, а то не в чем ехать.

— Как Ленке повезло...

— Из чего я делаю вывод, что тебе не повезло. Ну, извини. Не судьба.

— Да я не о том. Мечтать тоже необходимо.

— Хотя и вредно. Даже опасно.

Алексей прижал Катю к себе.

— Поедем-поедем. И в Венецию, и в Копенгаген. Давай прибавим, магазины немножко до восьми...

Купив ботинки, они зашли в кафешку, обмыли приобретение, чтобы долго носились, прогулялись до Катиного дома.

Катя жила вдвоем с отцом, в однокомнатной квартире, перегороженной посредине шкафом. Алексей находился в похожей ситуации. Мать и тоже перегороженная шкафом комната. Отец Алексея жил и здравствовал с другой женщиной, он разошелся с матерью лет двадцать назад. У Кати мать умерла не так давно.

Поэтому жилищный вопрос стоял крайне остро, никаких перспектив не предвиделось, и Данилов откладывал понемногу не только на свадьбу, но и на комнату, которую придется снимать. К лету он собирался перевестись в участковые. Участковым положена отдельная квартира на территории. Хотя бы теоретически. На практике и участковые ни хрена не имели. За редким исключением.

Какая уж тут Венеция?..

В подъезде Данилов сжал Катины ладошки и поднес к губам.

— Холодно?

— Нет, не очень. Ты завтра зайдешь за мной после работы?

— Не уверен, кажется, я завтра в вечер. Я позвоню.

Он поцеловал по очереди Катины пальчики. На запястье заметил ссадину, которой вчера не видел.

— Что это?

— В подсобке сегодня коробку снимала. Зацепилась. Мелочи.

— Точно?

— Да прошло уже все.

Минут десять они, прижавшись к батарее, целовались под пристальным наблюдением серой бездомной кошки...

Отец сидел дома. Вернее, лежал. Как всегда нарытый. Когда Катя перешагнула через покоящееся на полу тело родителя и зажгла свет, отец недовольно оторвал голову от линолеума и промычал:

— Явилась? Снова с мусором своим шлялась?

— Не твое дело.

Катя ушла на свою половину, взяла полотенце. «Опять нажрался, скотина. На какие, интересно?»

Ссадина на руке была, конечно, не от коробки. Батя вчера стал заниматься воспитанием, учить доченьку жизни. Так, что пришлось спрятаться в ванной, подперев дверь шваброй. Побарабанив немного и поорав: «Убью, сучка!» — родственник упал и уснул на полу. Катя обработала ссадину на руке, вышла из ванной и тоже легла спать. «Чтоб ты не проснулся, милый папа...»

«Милый папа» пил лет десять, загнал в гроб мать, доведя ее до инфаркта, а теперь взялся за Катю. Когда-то он работал на стройке, где и сел на стакан. После увольнения за прогулы с трудовой деятельностью покончил раз и навсегда, но любовь к выпивке сохранил, уверенно неся ее по жизни.

Мать бегала к участковым, таскала батю к наркологам, тайком ходила к экстрасенсам. Без толку. Батя начал пропивать вещи, в том числе и Катины. Ладно бы просто пил, скотина, так еще и права, нажравшись, качал. С мордобоем и визгом. На улице-то боялся качать, один раз попробовал и схлопотал в рог от каких-то ребяток. Месяц в больнице валялся. Мать хоть немного спокойно пожила. Зато потом началось... Буянить на улице предок теперь боялся, отыгрывался на домашних. Один раз вены вскрыл, мать успела «скорую» вызвать, откачали дурака. Лучше б не вызывала, лучше б сдох...

Нынче милый папочка таскал деньги у Кати. Когда та прятала, начинал воспитание: «Ты, сучка, у меня в ногах должна валяться, я отец твой! Понимаешь — отец! Растил, кормил, обувал! Сопли вытирал да задницу! А где ж доченькина благодарность, а? Где о старике забота?»

Потом в ход шли кулаки. К воспитанию Катя давно привыкла и никак на него не реагировала. Когда у бати наступали совсем критические дни, она уходила к подруге. Батя пропил все, что можно было пропить. Вплоть до бельевых прищепок. Наиболее ценные вещи из своего гардероба Катя хранила у той же подружки.

Когда он случайно узнал, что Катька крутит шашни с ментом, начал плаксиво разоряться:

«Что, доченька, упечь отца хочешь? Отцовское тебе спасибо, доченька».— «Да нужен ты нам, козел. Сопли утри лучше...»

Алексею Катя почти ничего не рассказывала об отце. Да и домой приглашала всего один раз. Дала папику денег на бутылку, лишь бы свалил из квартиры. Леша, в общем-то, все понял, слепым надо быть, чтоб не понять. Из деликатности спрашивать ничего не стал. Как-то разок предложил помощь: «Давай устроим Сергею Михайловичу два по пятнадцать. Или три. Да не лет, Боже ты мой. Суток! Ты хоть немножко отдохнешь. Я так вижу, что живется тебе с ним не очень».

«Не надо. Отец все-таки».

Про рукоприкладство Катя и подавно молчала. Ничего, немножко осталось терпеть. Поженятся они с Лешкой, снимут комнату, а этот пускай тут как хочет. Может, когда с голодухи пухнуть начнет, поумнеет, на работу пойдет. Вряд ли, но пока она здесь, так и будет по карманам ночью шакалить.

Катя сняла свитер, накинула халат и пошла в ванную.

*　*　*

— «Я ударила его сковородой по голове и рукам. Яйца разлетелись в стороны».— Буров, зацепившись за цитату из протокола, взглянул на Величко.— Какие яйца?

— Со сковороды. Там же написано,— обиженно пояснил Стас.— Она яичницу жарила, а соседу приспичило.

— Вызовешь соседку и переспросишь нормально.

Буров, работавший шефом криминальной милиции в отделе, в свое время закончил филфак университета и терпеть не мог стилистических и орфографических ошибок в документах. Стас не понял, что от него хотят.

— А чего ее переспрашивать? Как было, так и написал. В чем проблемы-то?

— В яйцах,— шепнул сидящий рядом Данилов.

Буров перевернул страничку своего еженедельника. Данилов минут на пять опоздал на утреннюю сходку и о чем шла речь в прологе не знал. Но наверняка никаких сенсаций. Коллеги-опера сидели со скучными лицами, стало быть, все в норме.

— Вчера был на совещании по итогам двух месяцев. Поздравляю. Мы на твердом последнем месте. Особенно по тяжким преступлениям. Дали месяц сроку для исправления.

— Бытовух мало,— привел аргумент в защиту чести и достоинства отдела старший оперуполномоченный Федя Машков.— А как без бытовух?

— Привыкли на бытовухах да на мелочовке выезжать. В других отделах бытовух не больше. Ты вот, Федор, что раскрыл в этом месяце?

— Много чего. Наркота у Крюкова, кража в универсаме...

— У Крюкова? Так его постовые задержали с наркотой, ты только объяснение взял да следователя вызвал. А в универсаме продавцы на контроле отличились. Твоя-то работа где?

— Оформлял.

— Чем тогда ты от Ирины Петровны отличаешься? Ирина Петровна служила в отделе секретарем.

— Тем, что усы носишь? И штаны вместо юбки? А ты, Станислав Иванович, зря улыбаешься, у тебя вообще за этот месяц сплошные баранки.

— Как баранки? — возмутился Величко.— А вчерашнее убийство?

— Нашел чем хвастать! Что ты, убийцу вычислял или гонялся за ним? В чем твоя работа? На месте происшествия засветился? Данилов хоть людей опросил, а ты?

— Кстати, что с мужиком-то? С Буковским? — вспомнил Алексей.

— В изоляторе пока. На трое суток. Следователь задержал.

— А что, сразу подписку нельзя было дать? У мужика жену, можно сказать, на глазах оттрахали... Кто следователь?

— Сметанин.

— Блин, как просишь кого арестовать, так хрен в ступе, а кого не надо — только вьет. Говнюков всяких — на подписку да под залог, а нормальных людей — на нары. Конечно, что с Буковского возьмешь? Лыжи только, без торговой наценки.

— Какие лыжи?

— Он лыжами торгует.

— А... Не знаю, следак нам докладывать не обязан. И не докладывает. Мужика-то зря закрыл, я согласен.

— А этот как себя чувствует? Раненый?

— Пришел в себя, даже говорить начал,— ответил Стас.— Я сейчас в больничку поеду опрашивать.

— Возьми сразу справку уточненного диагноза, Сметанин просил,— напомнил Буров.

— И спроси, куда они «гайки» дели, которые с бабы сняли,— добавил Данилов.

— Если скажет. Колоть-то его в реанимации вряд ли получится. Можно, конечно, шланг пережать какой-нибудь незаметно...

— Пережми. Еще раз напоминаю про оперплан,— подвел черту Буров.— Разбиться, но сделать надо. Если и здесь провалим, расформируют нас за бесполезностью. И раскрытие по оперданным давайте. Это наш хлеб, наше лицо. Все, по местам.

Возле кабинета Данилов увидел Надю с белым пакетом в руках.

— Здравствуйте,— она кивнула Алексею,— а Костя еще здесь?

— Нет, он в изоляторе, это рядом с райуправлением.

— Мне следователь говорил что-то про изолятор, но вы ж понимаете, я ничего вчера не соображала. Ему можно пакет передать?

— Да, конечно. Пройди, я запишу адрес, тут недалеко.

Алексей открыл кабинет, кивнул Наде.

— А что Косте будет, не знаете?

— Не знаю. Послезавтра отпустят. До суда. Может, до суда и не дойдет, так дело прекратят, но маловероятно.

Все-таки труп... Вот адрес,— Данилов протянул Наде бумажку.

Она задержалась на пороге, что-то собираясь спросить, но так и не спросила, шепнула: «спасибо» — и вышла из кабинета.

«Жили себе люди, никого не трогали, любили, работали... Выйди Надя на пять минут позже от подружки... Кто-то скажет — стечение обстоятельств. Я ничего не скажу».

Алексей сходил в дежурку, получил парочку свежих заявлений и парочку свежих анекдотов.

На обратном пути столкнулся с протухшей личностью, судимым господином Павлом Студневым по кличке Стульчак. Наверное, в преступном мире клички вешаются не случайным манером, ведь в них зачастую довольно точно отражается сущность фигуры.

Студневу кликуха Стульчак весьма подходила. По слухам, получил он ее в камере, после первого визита туда за кражу сумки с соседского балкона. В камере отсутствовал евростандарт, и вообще какой-либо стандарт, а параша и подавно не удовлетворяла нормальным требованиям эстетики. Для нормального оправления большого физиологического процесса была необходима дополнительная опора, чтобы не загреметь с конструкции в собственные фекалии. Дополнительной опорой старший по кубрику назначил Пашу Студнева как наименее авторитетного члена экипажа. За что тот и удостоился своего благозвучного погоняла.

На первый раз судья Стульчака простил, ограничив срок наказания временем пребывания под стражей, то есть четырьмя месяцами нахождения в следственном изоляторе. Студневу в неволе жутко не понравилось, и во избежание следующего приглашения туда он решил заручиться поддержкой местных, отделенческих оперов.

Притащился после выхода на свободу в ментовку, нарвался на Данилова и шепнул пароль: «Я свой. Был завербован царской охранкой во время пребывания в „Крестах“. Готов к тесному сотрудничеству». Данилову, только что пришедшему на службу в отдел, свои люди были нужны позарез, поэтому от предложения Стульчака он, конечно, не отказался. После недельной проверки со Студневым было подписано соглашение о партнерстве.

Партнером Стульчак оказался никчемным, информация, получаемая от него, больше походила на выдержки из самых желтых газет. Оттуда Паша ее и брал, занимаясь откровенным плагиатом. Но гонорар требовал исправно. Деньги Студнев в основном пропивал — к спиртному агент относился крайне трепетно.

Данилову в конце концов надоело узнавать газетные новости в Пашином пересказе, да еще платить за это государственные деньги, о чем он и сообщил Стульчаку. «Платить буду. Но погодя. Когда проверю донос». Студнев загрустил и обиделся. Он ведь с чистым сердцем, можно сказать, от души... Но увы.

Резко встал вопрос, где взять на стакан насущный. Данилову эта Пашина беда была до лампады. И решил Паша развязать. Развязал неудачно — на пару с приятелем разделили в парадном инженера, приставив к глотке бедняги ножичек. Сняли немного — пальто 1962 года выпуска, летние ботинки на утепленной подошве — и отобрали кошелек с квиточками на зарплату за последние полгода. На квиточках и погорели. Приятель Стульчака на следующий день попал в вытрезвитель, где бдительный дежурный, осматривая карманы, наткнулся на квитанции. Утром и приятель, и Студнев уже сидели в камере.

Разбой они забомбили на даниловской территории, что Алексею было особенно обидно. Свой же «барабан» да на своей земле. Стульчака, тем не менее, это обстоятельство нисколько не смущало. И в тюрьму он садиться не спешил. А посему заявил следователю, что он-де ни при чем. Мол, после первой судимости взялся за честный труд, но товарищ Данилов, вызвав его к себе, поставил условие — или будешь стучать, или сядешь снова. Посадим. Пришлось стучать. А пару дней назад все тот же Данилов на секретной «стрелке» показал фотографию и приказал втереться к человеку в доверие, после чего вместе с ним идти на дело.

«„Тебя мы, разумеется, отмажем, а человека оприходуем“. Так что я не разбойник, а даже наоборот, как бы свой. И подписочку о негласном сотрудничестве я Данилову давал, проверьте у него, пожалуйста. В сейфе должна храниться. Поэтому все вопросы к герру лейтенанту».

«Герр лейтенант», когда такую трактовку случившегося услышал, обиделся еще больше. Выдернул агента из камеры и по ушлой головушке настучал.

Агент, однако, стойко держался до суда, надеясь на объективность и гуманность. Ни того ни другого он не дождался, получив четыре года усиленного режима. Данилов, который тоже вынужден был выступать в суде и опровергать злобные нападки, после процесса шепнул Стульчаку:

«Еще раз, пидсрачник, в отдел придешь, я из тебя коктейль „Кровавая Паша“ сделаю».

Отсидев положенные четыре года, Стульчак все же пришел. Разумеется, не к Данилову, а к молодому Величко, которому нагрузил то же самое, что и Алексею некогда. «Я свой!» Данилов, случайно заметив Стульчака в коридоре, обещание выполнил и, затащив бывшего агента в кабинет, «Кровавую Пашу» взбил.

Студнев, справедливо возмутившись, кричал, что он теперь сотрудничает со Станиславом Ивановичем, будет жаловаться и писать в газету.

Сотрудничества с Величко после даниловского коктейля он не прекратил, периодически отсвечивая в отделе.

Мало того, Стульчак жил в одном подъезде с Катей, двумя этажами выше.

— Ты опять здесь, пидсрачник? — окликнул Данилов пытавшегося спрятаться в паспортном столе Стульчака.

— Какое вы имеете право обзываться?

— Имею,— Алексей прошел мимо Студнева, решив больше не тратить время на урода.

Минут через пять в кабинет заглянул Величко.

— Слушай, я вот тут написал... Пойдет так? А то Буров цепляется из-за фигни всякой.

— Что написал-то?

— Сообщенку. Слышал же, раскрытия по оперданным требуются. «Сообщаю, что 26 февраля мне позвонил домой случайный знакомый Буковский Константин, шестьдесят девятого года рождения, проживающий там-то сямто, и доверительно сообщил, что только что убил человека, а второго тяжело ранил на почве изнасилования его жены. Собирается уехать в другой город и отлежаться. Агент „Хобот“». Мероприятия. «Немедленно задержать Буковского и принять меры по изобличению». Пойдет?

— Кого это ты «Хоботом» обласкал? Стульчака, что ли?

— Ага, его. Ну как текст?

— Не майся ты идиотизмом. Нашел на кого сообщенки принимать. Тем более от этого пидсрачника. Не вздумай бабки ему за это отстегнуть.

— Но ведь требуют же... По оперданным.

— Иди ты...

Посланный Величко ушел.

«Случайный знакомый доверительно сообщил, что замочил человека... Горячка белая».

День пролетел быстро — Данилов разбирался с материалами, мотался по адресам, в райуправление. После работы встретил Катю. Поехали к нему. Матери сегодня дома не было, ночное дежурство в больнице. Ночевать остались у Алексея.

По пути на работу Катя заскочила к приятельнице, вернуть долг. Две недели назад она заняла денег, чтобы купить Лешке в подарок обалденный голландский бритвенный набор. Дорогой, но своим в магазине продавали без наценки. У Лешки скоро день рождения, лучше подарка и не придумать. Домой она подарок, конечно, не понесла, оставила на работе, в столе у заведующей. Вчера Катя получила аванс и сейчас отдала почти все деньги, оставив себе небольшую сумму на текущие расходы. Ничего, в крайнем случае можно будет перехватить у девчонок.

Алексей накануне звонил несколько раз Сметанину, но тот был в разъездах.

Сегодня удалось застать.

— Привет, прокуратура. Данилов это.

— Здравствуй.

— Я по Буковскому беспокою, помнишь такого? Что планируем-то?

— Как что? В тюрьму. Сегодня предъявлю обвинение, и в «Кресты».

— Погоди-погоди... Какие «Кресты»? Это раненого надо туда отправить, когда поправится, а мужика-то за что?

— А бегать и искать ты его будешь в случае чего?

— Да никуда он не убежит. Это ж не братан и не урка. Нормальный пацан по жизни.

— Ты его один раз видел. А совершил он, между прочим, убийство. Мокруху.

— Мокруха мокрухе рознь. Состояние аффекта, в конце концов. Вообще надо дело прекратить.

— Вот пускай суд и прекращает. Я вас, если честно, не понимаю. Один кричит «закрыть», другой — «отпустить». Вы между собой договоритесь сначала.

Данилов смутился:

— Кто закрыть просил? Величко?

— Нет. Шеф ваш. Буров.

— Лично?

— А как же еще? Он, кстати, прав. Если Буковский сдернет, то, пока его не поймают, мокрушка будет считаться нераскрытой. Формально, конечно. А вы и так по показателям в самом низу. Поэтому рисковать не стоит. Верно?

Алексей повесил трубку. Горячка белая. Он навестил Величко. Тот шушукался в кабинете со Стульчаком.

— Ну-ка, исчезни,— Данилов кивнул Студневу на дверь. Обиженный Стульчак вышел: «Ничего, я-то исчезну...»

— Ты ездил к раненому?

— Да, прокатился, опросил.

— Что лопочет?

— Ничего не лопочет. Отшибло. Но никого не насиловал и не грабил. Это помнит хорошо.

— А кто вообще такие?

— Мелкоорганизованная преступность. Живой — в розыске за налет на инкассатора, дважды судимый. А по покойничку ответ от экспертов жду. Они пальчики его на проверку по компьютеру заслали. Скорее всего, на инкассаторские деньги тачку и купили.

— Милые мальчики. Шмотки не осматривал?

— Я их изъял просто и Сметанину отвез. Он будет искать следы биологических выделений.

— Колец не было? Потерпевшей?

— Нет. Могли в больнице свистнуть. Я ни «лопатников» их не нашел, ни золотишка. Цепочки у ребяток всяко имелись.

Диалог был прерван телефонным звонком.

— Да? — Величко снял трубку.— Так. Понял. Погоди, ручку возьму. Все, пишу... Ого... Солидняк... Все, благодарю за службу.

Повесив трубу, Величко щелкнул пальцами:

— Превосходно! Ладошки нашего почившего насильника обнаружены на прошлогоднем убийстве в Красногвардейском районе и на двух разбоях. Все глухонько. Сейчас мы по этому поводу бумажечку напишем.

Стас извлек из стола пару листочков и принялся за работу.

Алексей вернулся к себе. Работайте, господин Данилов, работайте. Вы на последнем месте. Кризис.

Катя включила утюг, достала из-под своей тахты сумку. Надо погладить платье. Завтра у Леши день рождения, она отпросилась с работы, с утра пробежится по магазинам и поможет Вере Геннадьевне приготовить салаты. Отпраздновать решили скромно, пригласив двух друзей Леши с женами. Сумку с платьем и бритвенным набором Катя принесла домой накануне, спрятав ее под кровать.

Утюг нагрелся, Катя вытащила платье, потом, помедлив, решила достать и набор, чтобы завернуть в красивый пакет.

Набора не было. Вчера он лежал на дне, под платьем. Катя, не веря, еще раз пошарила в сумке, но увы, пусто, как в вакууме. «Может, все-таки забыла положить? Нет-нет, что ж я, без памяти? Вот здесь, на дне он лежал... Вчера».

Катя выпрямилась, минуту-другую сидела без движения. Потом резко поднялась, выглянула из-за шкафа. Отец по-прежнему валялся на диване прямо в своей вонючей болоньевой куртке и грязных ботинках. Накануне, придя домой, батя клянчил у нее денег, говоря, что нашел работу, но надо сперва заплатить какому-то Витьку. Он-де замолвит словечко, и батю возьмут. Катя, естественно, ничего не дала, пустые разговоры родителя были не более чем разговорами. Батя пошипел, пострадал и завалился спать.

Катя толкнула отца. Тот очнулся, дохнув какой-то керосиновой смесью, и недовольно проскрипел:

— Че, в натуре?

— Ты на какие нажрался, скотина?! — Катю затрясло от ярости, она уже догадалась, на какие.— Ты сколько, поганец, меня мучить-то будешь? Где бритва?

Родитель попытался выпрямиться, но свалился на пол.

— Отстань ты... Мне надо было.

Он вскарабкался по стеночке и сумел встать на ноги.

Катя заплакала.

— Гад поганый, как ты... О господи...

— А я тебя как че-е-ека вчера про-про-сил. Пра-а-асил? Дала? Хер ты отцу че дала. Подыхай, отец.

— Скотина, это Лешке подарок! Я на него два месяца у прилавка надрывалась! Да что ж ты за человек-то?..

— Во! Во! Мусорку своему — подарочки, а отцу родному на жизнь — дулю с маслом. Я тебя вос... воспи...

Батя завел старую бодягу:

— Ты мне хоть раз сказала: «На, папочка, на хлебушек»? Я подыхать буду, доченька не откликнется.

— Да скорей бы,— Катя ладонями вытерла слезы.

— Че-е-го? — замычал папаша.— Скорей бы? Квар-квар-тирку хочешь получить? Ментяра подучил? Во те, а не квартирка!

Он согнул руку в локте, ткнув кулак Кате в лицо.

— Уберись ты, козел. Вместе со своей квартирой! — Она брезгливо оттолкнула руку, отчего папашу повело и он снова рухнул на пол.

— Ах ты, сучка ментовская!.. Я те...

Папашка схватил валявшуюся на полу пустую бутылку, распрямился.

— На кого руку подымаешь?

Удар пришелся в Катино плечо, хотя родитель целил в голову. Она вскрикнула, присела. Папашка оказался не таким пьяным, как она думала, опрометчиво повернувшись к нему спиной. Бутылка отлетела в сторону.

— Хр-ры-ры... Зашибу, крыса!..

Черная горячка. Тупик. Беспросвет. Сознание улетучилось из тела и спряталось в брошенной бутылке. Осталась зомбированная оболочка, уже ничего не соображающая.

По инерции родитель пошел вперед, свалившись на Катю. Она не удержалась на ногах и, падая, стукнулась затылком об острый край шкафа.

— А-а-а...

Папаша левой рукой прижал Катину шею к полу, а правой ударил по лицу.

— На отца руку?.. Сукина дочь!

«Передаем песню группы „Скорпионз“ „Я теряю контроль, когда вижу тебя“ в исполнении Иосифа...»

Контроль потерян. Как прекрасен этот мир. Посмотри.

Катя задыхалась. Батя хоть и жил впроголодь, но весил под восемьдесят. Вместе с черной горячкой. «Пьяный я был, не соображал, что делал, невиноватый. По трезвяни — родную дочь? Да Господь с вами, ни в жись!»

Серое пятно вместо батиного лица, брызги мутной слюны, искорки-мухи вокруг висящей под потолком сорокаваттки...

...Отчаянная попытка вырваться. Выбраться из-под обломков. Глотнуть свежего воздуха... Один, один маленький глоточек. Помоги...те! Не хо... Искорки срываются с лампочки и мчатся к ней. Их так много, все больше и больше, настоящий фейерверк на фоне черного неба... Не хочу!!!

Шнур. Соломинка. «Держи меня, соломинка, держи...» Сознание не отключилось, оно будет тащить уже утонувшее тело наверх... До последней секунды.

Пальцы сжались. Катя дернула, рванула из последних (ну, почти последних) сил шнур. Горячий утюг свалился со столика.

Она не почувствовала ожога. Она уже не могла чувствовать...

Хрясь! Ч-М-Т!.. (Черепно-мозговая травма.)

И еще!.. И снова!.. На, гадина!

...Минуты две она лежала без движения. Искорки разлетелись, сорокаваттка слепила глаза. Боль в руке, боль в затылке. Катя застонала, уперлась локтями в пол и кое-как села, прислонившись к шкафу.

«Вы смотрели художественный фильм „Девочка мочит отца"».

Отец лежал мордой вниз.

Мертвый.

«Па, ты чего, па?.. Па, я не хотела, ты же первый, па... Господи, почему? Я, наверное, просто сплю...»

Сознание возвращалось. Катя сорвалась в ванную, включила холодную воду, сунула голову под струю. Ш-ш-ш-ш...

Вернулась в комнату. Сцена номер... Та же и труп.

...На улице шел снег. Мягкий, теплый, весенний. Телефон-автомат висел на стене соседнего дома. Катя кое-как засунула скользкий жетон в щель, со второй попытки набрала номер.

— Лешенька... Это я, маленький мой. Тут такое... Скорее приезжай! По-пожалуйста. Он там... лежит... Дома. Скорее, Лешенька.

Данилов позвонил в дверь через двадцать минут. Мчался со всех ног, не обращая внимания на срывающихся с бешеным лаем злых собак, которых хозяева выгуливали исключительно ночью. Без пяти час...

Катя разрыдалась в прихожей, бросившись Данилову на шею. Алексей прижал невесту к себе, с минуту успокаивал. Затем прошел в комнату...

— Что случилось?

Катя кое-как рассказала. Алексей сел на диван, рассматривая труп несостоявшегося тестя.

— Я не хотела, Лешенька... Он ведь сам... Он бы меня задушил... Ты же мне веришь? Ты же все знаешь... Ты мне поможешь, правда? Я не убийца.

— Помогу,— Данилов резко выпрямился.— Кончай реветь! Полиэтилен есть? Большой кусок.

Голос Алексея был жестким и твердым, как лед, совсем иным, нежели несколько минут назад.

— Полиэтилен? — Катю, как ни странно, такой тон привел в чувство гораздо быстрее, нежели поцелуи и просьбы успокоиться.— Зачем?

— Надо завернуть голову, иначе будет много крови. Потом не отмоешь. Найди хотя бы пакет. Быстрее.

Катя пока ничего не понимала, но за пакетом пошла. Пакет валялся за шкафом, в нем лежало платье, которое Катя так и не успела погладить. Белый, с рекламой фирмы «Сименс». «Потому что я люблю...»

— Такой?

— Да, пойдет. Помоги мне. Давай перевернем.— Алексей склонился над папашей, правой рукой приподнял голову.

— Аккуратненько... Давай. О-па!

Катя отвернулась. Папаша смотрел прямо ей в глаза, будто живой.

Данилов раскрыл пакет, натянул его на голову мертвецу.

— Веревку или шнур какой-нибудь...

Не дожидаясь, пока Катя сообразит, схватил утюг и перочинным ножом отрезал шнур. Затянул на шее покойного, поверх пакета.

— Так, теперь бери тряпку. И все тут вымой. До капельки. До последней. «Комет» есть? Нет? Тогда с мылом. У вас линолеум, смоется нормально. Хорошо, что не паркет.

Катя, словно механическая кукла, пошла за тряпкой. Данилов достал сигарету, закурил. Затем, выключив свет, подошел к окну и осмотрел двор. «Херово как... Светло. Чертов снег...»

Двор просматривался великолепно, свет одинокой лампочки проникал в самые дальние уголки. Несколько припаркованных машин, трансформаторная будка, детская площадка...

Снег. Белый до боли в глазах.

— Ты где? — Катя зашла в комнату.

— Не включай свет! Значит, так, мой пол, стены — в общем, протри везде, где кровь есть. Я минут через пять вернусь. Позвоню два раза.

Данилов выскочил из квартиры, вышел из подъезда. Лампочка качалась под круглым металлическим абажуром, метрах в трех от земли. Алексей обогнул трансформаторную будку, заметил мусорные бачки, стоящие за кирпичной перегородкой. Включил карманный оперской фонарик, собираясь найти кусок кирпича или палку.

«Нет, не стоит... Люди могут не спать, вызовут ментовку: „Хулиганы бьют лампочки и стекла, помогите...“»

Чертов снег... Валит и валит. Данилов огляделся. «Соображай, соображай, урод». Подвал отпадает сразу. Если там найдут — все, хрен отмажешься. Люк? До первого визита ремонтной бригады. Кто их знает, когда полезут? Может, через год, а может, завтра. Просто бросить в сугроб?.. Шел домой, напали неизвестные... Нет, сам упал, потому что пьяный. Он все время падал, Катька подтвердит. Потерял сознание и замерз. Территория Стаса, он глубоко копаться не будет, скинет «отказной» материал в архив. «Я Катьку опрошу как надо. Простота — медсестра таланта».

Данилов выглянул из-за будки. К дому, мимо кустов, вела заледенелая тропинка. Он прошел по ней, внимательно смотря под ноги. Наконец нашел то, что нужно. Острый угол бетонного поребрика. Рядом — замерзшая лужа, почти припорошенная снегом. Как раз в жилу. Шел, поскользнулся, упал... Решено. «Черт, забыл спросить, сколько раз Катька батю приложила... Если больше одного, сценарий будет выглядеть натянуто и неестественно. Придется сочинять новый».

Данилов вернулся в квартиру. Дверь была не заперта. Катя ползала по полу с тряпкой.

— Я свет включила, иначе не видно.

— Все правильно. Ты сколько раз его?.. Ну, утюжком? Один? Два? Три?

— Ты думаешь, я считала? Один, кажется...

— Точно?

Катя виновато посмотрела на Данилова. Действительно ведь не считала.

«Вряд ли такого кабана одним ударом завалишь... Хотя как попасть. Иногда хватает легкого касания деревянной скалки. Бывали случаи...» Развязывать пакет и проводить патолого-анатомическое исследование не хотелось. Ладно, рискнем.

Данилов присел на корточки, придирчиво осмотрел пол.

— Вот здесь. Не вымыла.

Катя сбегала в ванную, сполоснула тряпку. Алексей приподнял руку мертвеца. Нормально, окоченение еще не наступило, можно уложить тело на асфальт в любой нужной позе. Да и тащить удобно.

Когда Катя закончила «приборку», он приказал найти еще пакет или хотя бы бумагу — завернуть утюг и тряпку.

— Мне бы чучельником работать,— мрачно усмехнулся Данилов.

— Кем?

— Чучельником. Профессия есть такая в бандитском мире. Человек, который помогает добрым людям избавиться от нехороших трупов. Редкостные умельцы попадаются. При желании в карманах человечка могут вынести... Так, не стой, одевайся.

Катя только сейчас вышла из полубредового состояния и обрела способность к осознанным действиям. Она присела на единственный стул.

— Что ты хочешь сделать, Лешка?

— А ты до сих пор не поняла? Чучельник я, первого разряда. Вынести батяню надо.

— Зачем? Разве нельзя сказать, что он первый? Ты посмотри — он же меня чуть не задушил. Если б не утюг... Почему надо его?.. Лешка?

— Вот тут написано,— Данилов кивнул на пакет.— Потому что я люблю. Долго объяснять, Катенька... Ты одна на жилплощади осталась, папаша лишний. Отличный повод. Для мокрухи. Вас двое на квартире было. Кто подтвердит, что он первый начал? Откуда известно, что он тебя чуть не задушил?.. Никто не подтвердит, кроме тебя, однако ты не в счет, ты — подозреваемая. Доходит?

— Но ты... Ты мне веришь? Что это не из-за квартиры?

— Я там не один работаю. А мы сейчас на последнем месте. Особенно по тяжким.

— Кто мы? На каком месте? Я совсем, наверное, чокнусь.

— Потом расскажу, все расскажу. Сейчас время дорого. Значит, запоминай. Ты вернулась с работы — батя сидел дома. Пьяный. Куда-то собирался. Просил денег, ты не дала. Часов в десять ты поехала ко мне и находилась у меня до утра. Мы смотрели... Нет, мы не смотрели телевизор. Просто болтали. Пили ликер. Вишневый. Матери дома не было. Завтра утром ты идешь домой. Ты вроде отпросилась на завтра с работы?

— Ага.

— Дальше по обстановке. Подробности до утра обговорим. Иди одевайся.

Пока Катя возилась в прихожей, Данилов еще раз осмотрел комнату. Вроде все чисто. Тело придется завернуть, иначе кровь из пакета все-таки может вытечь. Сюда-то можно вернуться еще раз, подтереть. А в парадном? На улице? Кровь долго сохраняется на снегу.

Он стащил старенькое покрывало с Катькиной тахты, обмотал верхнюю часть туловища папаши. Свободные концы связал узлами. Чучельник Леша. Старший оперуполномоченный криминальной милиции... Капитан. «Потому что я люблю».

— Помоги. Под мышку, под мышку бери. Поднимай. Ух, тяжелый...

Данилов присел, подвернулся под батяню и принял позу «Боец, выносящий раненого товарища с поля боя». Выпрямился, держа труп за плечи.

— Пошли... Стой, выгляни на лестницу. Только тихонько. Катя осторожно открыла замок. Тишина. Второй час ночи.

— Никого.

Данилов ступал осторожно, шарахаясь от малейшего шороха за соседскими дверьми. «А если сейчас кто-нибудь?.. Собачку выведет? Или вернется?.. Или просто выйдет? Тихо, спокойней. Сейчас ночь, и все спят. Девять ступенек, восемь, семь... Быстрее, быстрее... Ох, как трясет».

Перед выходом он кивнул Кате на дверь. Она все поняла, обошла Данилова и выглянула во двор. Шум машин на ночном проспекте. Мутная луна в разрывах облаков. Снегопад кончился.

— Иди к будке и жди там,— шепнул чучельник Данилов.— Если кого увидишь, чихни.

До точки приложения тела к поребрику было метров сто, и пройти их надо так, чтобы... Во-во. Чтобы не мучил стыд за бесцельно прожитые годы...

Алексей, придерживая ногой дверь, дождался, когда Катя достигнет будки, и, шепнув: «Помоги мне, Господи», двинулся вперед.

От оглушительного скрипа снега под ногами аж уши заложило. Бежать Данилов не мог, боялся поскользнуться, да и тяжело... Он начал отсчет, чтобы успокоиться.

Из арки донесся смех. Алексея мгновенно окатило жаром. Уф-ф-ф, компания прошла мимо. Давай, шире шаг. Сам погибай, а товарища... Донеси.

Кусты, мусорные бачки, поребрик. Приехали. «Спасибо, что воспользовались услугами нашей компании. Надеемся на дальнейшее партнерство».

Катя стояла, прижавшись к будке. Алексей сбросил труп, размотал покрывало. Развязал шнур, стащил пакет.

Перевернул тело, положив голову на поребрик. Осветил фонариком. Нормально. Правая половина лица, обращенная вверх, была чистой. Поза, конечно, не фонтан, да ладно, тут не до моделирования. Упал и упал. Бля, а натоптал-то! И снег, как на грех, кончился. Хорошо бы снова снежок пошел. Припорошил бы тут все.

Данилов подобрал пакет, покрывало, притоптал собственные следы и вдоль кустов вернулся к мусорным бачкам. Кивком указал Кате на арку: «Выходи, я сейчас...» Откинул крышку бачка, затолкал покрывало в пакет и избавился от улик, зарыв их под пищевые отходы. Снегом вытер руки. Все...

Нет!

Утюг и тряпка! Черт, Катька оставила их в прихожей! Он махнул ей рукой, Катя послушно направилась к бачкам.

— Где утюг с тряпкой? — прошептал Данилов.

Она вздрогнула, растерянно махнула рукой:

— Там, в прихо...

— Понятно. Давай ключи, я схожу, принесу. Ты стой возле арки, жди.

— Я боюсь, Лешенька. Я боюсь...

— Чего ты боишься?

— Его,— она указала на мертвого отца.

— Чего его бояться? Не укусит.

— Боюсь, Лешенька. Я с тобой.

— Ладно, пошли.

Они вернулись в подъезд, поднялись, Катя открыла дверь. Данилов взял пакет с вещественными доказательствами. Фигово — суматоха, нервы... При желании-то кровушку найти можно — как ни замывай, все равно что-то останется. Правда, при желании...

Пакет он решил выбросить где-нибудь по дороге. На улице Данилов обнял правой рукой Катю, как можно сильнее прижав ее к себе, и повел к арке.

— Знаешь, Леш, мне вчера Венеция снилась,— неожиданно сказала Катя.— Так реально, будто и не сон. Каналы, дворцы, гондолы... Люди в масках. Мы с тобой...

— Я тебя отвезу туда, родная,— ответил Данилов неожиданно мягким голосом.— Когда-нибудь. Обязательно отвезу.

— Мне очень страшно, Лешенька. Наверное, зря ты... это...

— У меня есть смягчающее обстоятельство. Ты.— И он еще сильнее прижал Катю к себе...

— **Ч**е там оперсос Леша бросил? Разбегался туда-сюда...— Стульчак выкинул в форточку хабарик и, допив остатки разбавленного спирта, двинул в прихожую.

РАССКАЗЫ

РАССКАЗЫ

АВТОКОП

— Машина — супер! Не пожалеете, Анатолий. Она сотку за пять секунд набирает. Это ж «мерсак»! Немецкое качество! И через десять лет бегать будет как новая. Да вы сядьте, сядьте, прокатитесь, сами увидите.

Виктор Иванович распахнул лязгающую дверь темно-вишневого авто и кивнул Дукалису на салон. Тот, обратив внимание на покрытые легкой ржавчиной пороги, забрался на лоснящееся от въевшейся грязи сиденье. Хозяин машины опустил широкий зад на пассажирское кресло справа. Ноздри втянули густой дух бензиновых паров, плохо заглушаемый висящим на зеркале дезодорантом-елочкой с ароматом ванили.

— Чувствуете, как просторно? — продолжил владелец рекламную акцию.— Не то что в «Жигулях». Для нашей комплекции в самый раз. Можно сиденье еще подвинуть. А сзади-то сколько места. Слон поместится.

Толик дернул рычажок под креслом и немного отодвинулся.

— Держите,— Виктор Иванович протянул ключ на брелоке,— будете заводить, сцепление выжмите.

Авто завелось с четвертого раза.

— Это бывает,— успокоил хозяин,— очень редко. Клеммы отсырели. Поехали.

Дукалис отпустил сцепление, «мерседес» вздрогнул и тронулся с места, оставив на асфальте черное масляное пятно. Толик вырулил из арки на улицу и притопил педаль газа. Машина, пару раз дернувшись, сорвалась в галоп, урча, как потревоженный в берлоге медведь. Глушитель, вероятно, получил пробоину либо просто-напросто прогнил.

— Прокладка полетела,— успокоил хозяин,— за полчаса поменяете.

Огромный сундукообразный капот, на котором, словно прицел пулемета, торчал знаменитый «трилистник», напоминал Толику нос китобойного судна. Пушку бы еще гарпунную. Да, это сила. Двести лошадей у тебя под задом.

— Чувствуете ход? Словно утюжком по шелковой простынке. А за городом как идет! Сказка! Кондиционера, правда, нет, но его поставить можно. И жопогрей [1] тоже. За такие деньги вы лучше тачки нигде не сыщете. Если б время не поджимало, я б ее на рынок отогнал.

Толик перестроился в левый ряд и добавил газу. Машина хорошо слушалась руля, но подвеска слабо реагировала на неровности асфальта.

— Амортизаторы замените, у меня приятель в Германию мотается, привезет,— угадав мысли Дукалиса, предложил Виктор Иванович,— берите агрегат, я дерьма не подсуну, вы ж меня знаете. Если что, продать всегда можно. Оторвут с колесами.

Толик, конечно, знал Виктора Ивановича. Правда, ничего до этого у него не покупал. О желании приобрести машину заикнулся случайно, встретив того на территории. Постояли, поболтали. Так и так, скопил за десять лет безупречной службы трудовую копейку, хочу приобрести

---

[1] Жопогрей (*сленг*) — подогрев сидений.

личные колеса. Что-нибудь попроще, подешевле. «Восьмерочку» или «классику». «Да на кой хрен вам наш автопром?! — замахал руками Виктор Иванович.— Берите моего „мерина“! Я как раз продаю по дешевке. Срочно деньги на квартиру нужны! Машина в отличном состоянии, семьдесят девятого года, бензина жрет с наперсток, а две сотни на трассе делает!»

— Какого-какого года? — уточнил Толик.

— Вы на год выпуска не смотрите. Запомните, иномарка двадцатилетней давности лучше новых «Жигулей»! Это не реклама, это научно доказанный факт! Подходи завтра ко мне, сам все увидишь!

С хозяином «мерседеса» Дукалис познакомился лет десять назад, когда тот работал администратором пивного бара «Мутный глаз», находившегося на вверенной Толику территории. Нынче бара уже не было, вместо него открыли мебельный салон. (Скучно! Не грабят, не дерутся. Мебель пылится, и никакой романтики.) Виктор Иванович трудился на пенной ниве вдохновенно. Пиво водой не разбавлял. Наоборот. В воду добавлял немного пива и потчевал этой смесью рабочий класс микрорайона. Пролетарии, однако, даже при социализме, но за свои права побороться могли и воду за такую цену пить не желали. Пожаловались в милицию, многие сотрудники которой тоже любили захаживать в «Мутный глаз» и страдали от обмана не меньше. Дукалис, только что пришедший в отдел, решил положить этим безобразиям конец. Призвал на помощь знакомого опера БХСС, чтобы сделать контрольную закупку. На пару явились в заведение, взяли по кружечке бледно-желтой водицы. Выпили по «большой» для проверки качества. Все — качество на лицо, можно руки негодяю крутить. Но какой-то несознательный гад из числа посетителей узнал Дукалиса и понял по выражению его лица о грандиозных планах. Стуканул администратору — пасут тебя легавые. Виктор Иванович в панику не впал.

Имелся у него секретный план на подобные повороты сюжета. Быстро скинул парадный костюм, облачился в брезентовую робу, вылил на себя ведро воды, схватил разводной ключ и выскочил в зал с выражением вселенской скорби на круглой морде. «Товарищи! У нас ЧП! Прорвало трубу, вода пошла в пиво! Сейчас перекроем и пиво всем заменим!» Дукалис, разумеется, тему понял, но, глядя на мокрого администратора, только рассмеялся. После окончания спектакля, они с бэхом[1] зашли к нему и сказали, что на первый раз артиста прощают, но, если он не перестанет экспериментировать с пивом, будет играть в лагерной самодеятельности. Тот к угрозе отнесся с пониманием, но пиво от этого лучше не стало.

Когда бар прикрыли, Виктор Иванович по большому блату устроился в ресторан пятизвездочного отеля. Тоже администратором. Но продержался там недолго. Как-то раз неудачно пошутил. Взял и прицепил на дверях ресторана табличку, прихваченную на память из «Мутного глаза»: «Помоги, товарищ, нам — убери посуду сам». Но многие из гостей шуток не понимали. Заметив объявление, одна капризная поп-звезда устроила скандал. «С какой это стати я должна убирать посуду, заплатив за номер шесть сотен?! Вы совсем очумели»? Перед звездой извинились, табличку сняли, администратора уволили. Погоревав немного, Виктор Иванович подался в коммерцию, в мутных водах которой и плескался до настоящего времени. С Дукалисом у него после той первой истории установились доверительные отношения, иногда он забегал в отдел за какой-либо услугой, типа возвращения отобранных гаишниками прав за вождение в нетрезвом состоянии. Жил он рядом, Толик время от времени заходил к нему в гости в поисках оперативной информации. Ничего, как правило, не находил, но от угощения не отказывался.

---

[1] Бэхи (*сленг*) — сотрудники ОБХСС, ныне ОБЭП.

— Ну что, нравится? — поинтересовался Виктор Иванович, когда Толик разогнал машину до сотни.

— Ничего,— неопределенно ответил Дукалис, прислушиваясь к подозрительно скрипящим деталям кузова.

Его терзали сомнения. С одной стороны — это «мерседес». Больше чем просто марка машины. Это бренд. Не какой-нибудь «фольксваген» или «форд». Уважение и авторитет. С другой — год выпуска, случись что, хлопот не оберешься. Деньги на ветер выбрасывать не хотелось, их не на блюдечке принесли. Десять лет в кубышку откладывал. Да в магазине по ночам халтурил сторожем. Немного тесть добавил. Одним словом, мозг агитировал за отечественного производителя, а сердце склонялось к западному.

Виктор Иванович нагло продолжал рекламировать ходовые и прочие достоинства своего аппарата. И крылья вовсе не гнилые, а только запачканные, и карбюратор всего год назад заменил.

— Анатолий! Чуть не забыл! Я вам даже магнитолу бесплатно подарю! Цифровую! Смотрите.

Он извлек из-под сиденья обшарпанную магнитолу непонятной марки и вставил ее в специальную нишу. Покрутив самодельной ручкой, поймал волну. Салон наполнился бодрящими аккордами «Рамштайна», заглушавшими дребезжание неплотно запирающихся дверей.

— Сорок ватт выдает,— похвастался бывший администратор,— акустика «филипсовская». И не утащат. Вынули, под сиденье спрятали и гуляйте спокойно.

Возможно, магнитола была последним аргументом в борьбе мозга с сердцем.

— Давай так сделаем,— предложил Анатолий Валентинович,— сейчас поедем в отдел, покажем тачку нашему водителю. Я сам в машинах не сильно разбираюсь, а он собаку съел. Скажет — бери, возьму.

По лицу Виктора Ивановича скользнула тень обиды. «Своему не доверяете?..» Но делать было нечего, и он согласно кивнул.

«Мерседес» пролетел мимо инспектора ГИБДД, но тот не поднял жезл.

— Они вас в лицо знают? — проводив инспектора взглядом, спросил хозяин машины.

— Вряд ли... Может, не заметил.

— Меня вот всегда замечают... Сколько я им денег отстегнул... И ни разу ведь не отказались! Когда с этим покончим-то?

— Есть надежный способ никогда не платить.

— Внештатником устроиться?

— Нет. Правил не нарушать.

Подъехав к отделу, Толик припарковал «мерседес» под окнами кабинета и сходил за водителем, молодым сержантом по имени Никита.

— Да, суровая тачка... Из какого музея? — уточнил Никита, окинув опытным взором темно-вишневого пенсионера.

— Тачка еще в «Формуле-1» гонять может,— обиженно пробурчал администратор.

— Сейчас узнаем, в какой она формуле. Капот откройте.

Виктор Иванович обнажил чрево своего немецкого мустанга.

— Битая? — заглянув в потроха «мерседеса», почти сразу спросил водитель.

— Да что вы! — прижал руку к сердцу администратор.— Никогда в жизни!

— Ты мне на уши не садись. Краска не родная,— Никита ткнул пальцем в тыльную часть бампера.

— Это я ржавчину подкрасил. Сам.

— И стойки сам погнул.

Видя, что сопротивление бесполезно, Виктор Иванович сдался и опустил руку.

— Ну да... Было дело. Ерунда полная. Зазевался, поцеловал стенку. Но несильно, за час в сервисе починили. Клянусь!

Через десять минут водитель-эксперт вынес вердикт:

— Я б на вашем месте, Анатолий Валентинович, подумал. Так вроде тачка ничего, но никаких гарантий, что завтра она не развалится. А ремонт дороже новой машины обойдется.

— Почему это она должна развалиться? — попер буром Виктор Иванович.— Я-то езжу, и ничего. Да, машина не новая, но и цена адекватная! К тому ж ее не угонят! Можно смело во дворе ставить.

Через полчаса сердце Дукалиса победило мозг. «Ладно,— махнул он рукой,— была не была! Имею я право хоть раз в жизни прокатиться на собственном „мерседесе“? А ежели все время о ремонте думать, так лучше тогда на трамвае ездить».

Вечером того же дня сделка была оформлена в ближайшей нотариальной конторе, а машина поставлена на учет в ГАИ. Пересчитав деньги, счастливый Виктор Иванович вручил счастливому Анатолию Валентиновичу ключи.

— Поздравляю с покупкой. Удачной покупкой... Ой, совсем забыл. Масло бы надо поменять... И фильтр воздушный.

— Что ты еще забыл? — уточнил Дукалис, прикидывая, где взять две тысячи на эти срочные мероприятия.

— Больше ничего... Резина не лысая, годик выдержит, колодки тормозные тоже. На рынке они есть, купить не проблема.

«Колодки, может, и не проблема. Финансы проблема».

— Предлагаю отметить сделку. Чисто символически,— Виктор Иванович указал на подвальное кафе,— чтоб машина приносила вам радость и удовольствие. Угощаю.

Толик не отказался. Они спустились в заведение, Виктор Иванович заказал коньяк и салатики.

— Вы что-то загрустили, Анатолий... Жалеете о покупке?

— Нет... Настроение просто не очень.

На самом деле Дукалис действительно уже жалел о сделанном приобретении.

Зачем было выпендриваться? Купил бы обычный «жигуль» и горя б не знал. Нет, «мерина» ему подавай. Вот и катайся теперь по автомастерским.

Виктор Иванович, как человек бывалый, уловил направление мыслей оперативника.

— Насчет машины не сомневайтесь, Анатолий... Все нормально будет. Не знаю, верите ли вы в приметы, но она своим хозяевам удачу приносит. Даже, я б сказал, не просто удачу. Она помогает им в работе.

— Как это?

— Вот послушайте. Я купил ее у одного ученого. Археолога. Ему же она досталась от отца. Так вот. Археолог лет пять пытался отыскать какое-то древнее поселение в Карелии. Искал, искал, все без толку. Наконец, решил — съезжу в последний раз и завязываю. Команда его на поезде поехала, а он на батином «мерседесе». И вот, на лесной дороге вдруг глохнет движок. Археолог в технике ни бум-бум, затосковал. Делать нечего, надо возвращаться в ближайшую деревню, звать подмогу. Прикинул по карте, если по дороге идти, верст десять, а лесом срезать можно километров пяток. Закрыл машину и рванул. И представляете, наткнулся на то самое поселение, которое искал пять лет! Чуть глотку не сорвал от счастья.

— А с мотором что случилось?

— Да ничего не случилось. Аккумулятор сдох, и все дела... Но слушайте дальше. С батькой археолога тоже произошло нечто подобное. Он работал в Германии, тогда еще ГДР. Помогали наши коммунистическим немцам какой-то завод строить. Перед возвращением на родину «мерседес» купил. Как-то вечером, после работы сел в машину до отеля добраться. А та берет и не заводится! То ли свеча старая, то ли еще что, ни суть. Батя помучился-помучился и отправился обратно на объект автосервис по телефону вызывать. Возвращается, а в конторе пожар занялся! Кто-то из наших окурок непогашенный в мусор выбросил. Народ уже весь разошелся, а сторожа только по периметру стоят. В двух шагах от конторы склад с горючими материалами. Рвануло б так, что Берлинская стена рухнула бы без помощи Горбачева... Короче говоря, батя благодарность получил на правительственном уровне и соответственную денежную премию от немецкого народа. Машина, кстати, завелась потом без проблем.

— Совпадение...

— Не знаю, не знаю,— покачал головой Виктор Иванович,— ведь это еще не все.

Года три назад я рискнул заняться торговлей специальными мастиками для полов. Финн один знакомый предложил. Не только паркет покрывать можно, но все что хочешь — линолеум, кафель... Не раскрученный тогда у нас бизнес. Собрал всю наличность, занял еще и закупил партию этой мастики в Финляндии. Стал искать, куда бы пристроить. Рекламу в газету дал, по строительным фирмам помотался, да все впустую. Неходовой товар, непопулярный. Совсем отчаялся, придется, думаю, квартиру продавать, чтоб с долгами рассчитаться. И вот еду вечером из офиса на своем «мерседесе», жму на светофоре на тормоз, а педаль не реагирует! Провалилась! Передо мной джип навороченный, протараню, не только квартиру отдам, но и голову. Крутанул баранку вправо, на тротуар выскочил и прямо в угол дома въехал! Как раз тогда бампер и погнул. Машина застрахована, пришлось ГАИ вызывать. А в доме этом ремонт шел. Компания одна его выкупила и реставрировала. Я, пока милицию ждал, с прорабом разговорился. И между делом про мастику заикнулся. Мол, по оптовой цене могу отдать. Отличная вещь — паркету сносу не будет. Он заинтересовался, с начальством созвонился. В итоге купили у меня всю партию. Неплохо я тогда заработал. А не откажи тормоза?! До сих пор бы мастику пристраивал. Я и машину после этого продавать не стал, хотя почти не ездил на ней. Вторую себе купил. «Мазду». А эту как реликвию в гараже хранил. Сейчас просто деньги нужны позарез.

— У меня-то тормоза не откажут?

— Нет, что вы... Там просто хомут с тормозного шланга слетел. Я подтянул, и больше никаких проблем. Представляете, мистика какая-то...

— Нет тут никакой мистики,— скептически усмехнулся Дукалис,— обычное стечение обстоятельств.

— Поживем — увидим. Глядишь, и вам поможет. Говорят, у машины есть душа. Серьезно. Машины чувствуют боль, заботу, отношение к ним и отвечают тем же. Словно собаки.

— Сомневаюсь, что она будет ловить вместо меня преступников.

— Кто его знает? — хитро улыбнулся Виктор Иванович, беря рюмку.— В любом случае, поздравляю с удачной покупкой. Давайте, чтоб еще столько же отбегала.

Они чокнулись и выпили.

— Про масло, главное, не забудьте,— напомнил Виктор Иванович.

— А также колодки, фильтр, амортизаторы и прочие приятные мелочи. Боюсь, Витя, что я погорячился...

— Не торопитесь с выводами, Анатолий. Уверен, вы не пожалеете.

* * *

Утром следующего дня Дукалис встал на час раньше, помыл машину, оставленную перед окнами, и впервые в жизни отправился на службу на персональном авто. Времени на дорогу ушло полтора часа, на метро он добирался минут за сорок. Пробки. Но Толик был счастлив и горд. Он сидел за рулем собственного «мерседеса»! Сбылась голубая мечта юности! Поглядывая на соседей по пробке, он строил планы на уик-энд, если, конечно, опять не отменят выходной. Он посадит жену и дочку в машину, и они поедут за город, например в Павловск... Как белые люди.

Первым оценил покупку опер Миша Петров, куривший на крылечке отдела утреннюю папиросу.

— Привет, Валентинович. Ты у кого такой керогаз отобрал?

— Купил. А что, не нравится?

— Да не, ничего. Колер симпатичный. Не у Штирлица, случайно, купил?

— У Чапаева,— мрачно буркнул Дукалис, запирая дверь «мерседеса»,— пошли на сходку.

Собственно, на сходку можно было и не ходить, а провести ее тут же, возле машины. По очень простой причине — из всего оперативного состава 85-го отдела милиции никого, кроме Петрова и Дукалиса, там не осталось. Олег Георгиевич Соловец, прежний начальник уголовного розыска, два месяца назад ушел в убойный отдел Главка. Славка Волков еще раньше переметнулся в таможню, на руководящую должность. Кивинов удрал на гражданку, устроился криминальным репортером и теперь каждое утро названивал Дукалису, выясняя новости прошедшего дня. Толика временно поставили на место Соловца. Исполняющим обязанности. Проявишь себя, сделаем постоянным. Анатолий Валентинович не очень-то рвался в начальники, но ударить лицом в грязь тоже не хотел. Он переехал в бывший кабинет Соловца, перетащил свой диван и принялся руководить уголовным розыском, а конкретнее, Мишей Петровым. Показатели работы отдела весело покатились под горку. Не потому, что Анатолий Валентинович плохо руководил, просто работать было некому. Они дежурили с Петровым по очереди, едва успевая принимать заявления. Про магазинную халтуру пришлось забыть. Раскрывали в основном только то, что раскрывалось само. В понедельник повезло, граждане в троллейбусе поймали карманника. Но обычно не везло. Начальство же, как десять лет назад, так и сейчас, требовало стабильности, а лучше роста показателей, предъявляя претензии к Дукалису. Какой же вы начальник, если боеспособный коллектив создать не можете? Странные люди, недоумевал Толик. Где ж я вам коллектив возьму? Милиция — это ж не частная фирма, высоких доходов обещать нельзя. Из соседних отделов людей переманивать? Так там тоже одни вакансии. Да и кто шило на мыло сменит.

Отдел кадров прислал двоих. Из школы милиции. Но проработали они всего день. Получили боевое оружие и решили проверить, пробьет ли пуля строительную каску, валявшуюся в кладовой, или не пробьет? Повесили каску на стену кабинета и с двух метров шарахнули по ней из «макарова». Пуля пробила не только каску, но и фанерную стену, выйдя аккурат над головой гражданина начальника. То есть Анатолия Валентиновича.

Разобравшись в проблеме, он сказал ребятам: «До свидания. Вы нам не подходите по тактико-техническим данным. Кое-где не хватает смазки. А каску в следующий раз надевайте на себя».

Через неделю кадровик отрядил еще одного бойца, из Академии. Дукалис велел ему принять заявителя. «А сколько это будет стоить?» — поинтересовался краснощекий бритоголовый новобранец. «В смысле?» — не понял Толик. «Ну, сколько вы мне заплатите за прием заявителя?» — «А сколько ты хочешь?» — «В зависимости от вашей установки. Отшить — одна цена, заяву взять — другая...» — «Знаешь, коллега, попробуй поработать в другом отделе. У нас убыточное предприятие, тебе не понравится. До свидания...» Позвонил кадровик и обиженно заявил, что больше никого не пришлет. Если только практикантов. «Зато жив останусь и в тюрьму не сяду из-за таких подчиненных»,— ответил Дукалис, про себя подумав, как быстро меняются времена. И всегда ли мы успеваем за ними? И стоит ли успевать?.. В общем, помощи ждать было неоткуда.

— Что за ночь? — задал привычный вопрос Анатолий Валентинович, когда они с Петровым оказались в кабинете.

— Как обычно,— так же привычно ответил Миша,— две кражи из машин, один угон. Все глухо.[1] Ножевое в адресе. С лицом.[2] Бытовуха — мамаша сына по пьяни ткнула. Тяжкие телесные. Не самая плохая ночь. Всего три — один в их пользу.

— Опять тачки обнесли,— скорбно констатировал гражданин начальник,— сколько уже за месяц? Восемнадцать?

— С сегодняшними двадцать. Еще одна и «очко». Ничего не поделать, постовых нет.

— От этого не легче.

Печальный диалог прервал телефонный звонок. На проводе был Кивинов, интересовавшийся преступными новостями прошедших суток.

— Служебный вертолет угнали. Прямо от отдела. Если увидишь, позвони.

Репортер...

Дукалис повесил трубку и задумчиво посмотрел на серую улицу через мутное окно.

«А может, плюнуть на все и тоже уйти? Сесть в „мерседес“ и укатить в другую жизнь. Только масло в движке заменить... Не глупей других, не пропаду на гражданке. Устал я здесь явно».

— Валентиныч,— прервал раздумья начальника Миша,— ты Заплаткина знаешь? С Ленинского?

— Наркошу? Знаю. И что?

---

[1] Все глухо (*сленг*) — все не раскрыто.
[2] С лицом (*сленг*) — раскрыто.

— Он сейчас героином вовсю торгует. Уже прямо на дому. Нюх потерял вконец. Скоро рекламу у подъезда повесит. «Постоянным клиентам скидки». «Героин-шоп». Я в ОНОН наш звонил, чтоб накрыли,— без толку. Чувствую, долю он им засылает.

— В ОНОНе два опера на весь район. Всех не накроешь.

— Захотели б, накрыли... Короче, мне девка одна шепнула, у него сегодня большая торговля намечается. Свежий товар поступил.

— Предлагаешь купить?

— Конечно... Он уже страх потерял, всем подряд продает. Часиков в одиннадцать влетим, наркоту изымем, потом в засаде посидим. Всех, кто за дозой придет, тормозим. Говорят, он героин в барабане хранит.

— В каком еще барабане? — не понял Дукалис.

— Он в школе на ударных играл. А сейчас ностальгирует. Вот и купил себе ударную установку. Соседи нам через день звонят, угомоните этого стукача. Как вечер, так грохот на весь двор. Участковый ходил, да впустую. По закону до одиннадцати вечера стучать не запрещено. Пригрозил, что барабаны прострелит, а Заплаткин только смеется. Стреляйте, а я в суд подам.

— Надо же... И что, прямо в барабане героин?

— Ну да. В большом, который на полу стоит. Кстати, если он опять барабанить начнет, можно под видом соседей нагрянуть. Дверь откроет, а дальше по схеме: «Ой, а что это у тебя в барабане? Не героин, случайно»? И в морду...

— В морду — это прекрасно. Только кто завтра дежурить будет?

— Ничего, подежурю. Пару часов покемарю на диване, мне и хватит.

— Я б тебя человеком года сделал. Робокоп... Ладно, попробуем. Повышение раскрываемости — дело рук самих утопающих.

* * *

Без четверти одиннадцать вечера по московскому времени группа захвата в количестве двух героев выехала к месту боевых действий на автомобиле марки «мерседес-бенц». Идти пешком или ехать на троллейбусе Анатолий Валентинович категорически отказался. «А для чего тогда машину покупал? Из окна на нее любоваться»?

Дорога заняла десять минут. К реву пробитого глушителя Дукалис уже потихоньку начал привыкать и прикидывал, а стоит ли вообще менять его? Во дворе Заплаткина Толик выбрал достойное место подальше от фонаря, повесил на руль противоугонную кочергу и спрятал под сиденье магнитолу. Сигнализации на «мерседесе» не имелось, Виктор Иванович заверил, что никто еще не позарился на его четырехколесного друга.

Магазин розничной торговли героином находился на четвертом этаже, окна, выходившие во двор, были плотно зашторены от любопытных глаз.

— Что-то барабана не слышно,— Дукалис посмотрел на часы,— до одиннадцати еще пять минут.

— И не услышим,— ответил Миша,— я у девки уточнил, он, когда торгует, не стучит. На хрена ж внимание привлекать. Значит, не напрасно мы приехали.

— Под видом соседей зайти не получится. Придется выманивать.

— Зачем? Он же оборзел, никакого страха. Минут пять постоим у хаты, кто-нибудь да придет. Дальше я справлюсь,— Миша плюнул на кулак и потер его о брюки,— в бой идем не ради славы. Ради денег в кошельке.

— С кем он живет?

— Один. Обойдемся без посторонних жертв. Надо только ко выучиться ждать.

Зайдя в сумрачный подъезд, сыщики поднялись на нужный этаж и заняли исходную позицию на лестничном пролете. Дукалис, постелив газетку, примостился на подоконнике, Петров как подчиненный сидел в засаде стоя. Впрочем, неудобства испытывались недолго. Петров почти угадал: через шесть минут перед металлической дверью Заплаткина предстала сутулая блондинка лет восемнадцати, напоминавшая высохший мандаринчик. Ходячая желтуха.

После условного звонка и обмена репликами Заплаткин открыл дверь и пустил даму в апартаменты. Петров не двинулся с места. Брать надо на выходе, когда доза на кармане.

Процесс товарно-денежных отношений занял не больше минуты, спустя которую блондинка с одухотворенным выражением на гепатитном личике показалась на пороге квартиры. Миша был готов к встрече. Оттолкнувшись от ступеньки, он, словно пикирующий бомбардировщик, с криком: «Барсик, ты куда?!» спорхнул вниз, мимоходом зацепил даму крылом и скрылся в чреве торговой точки. Блондинка, не меняя выражения лица, словно медуза, плавно сползла по стене и замерла на бетонном полу в позе раздавленной кучки собачьих фекалий.

— Жива,— пробормотал спустившийся следом Дукалис, нащупав у нее нитевидный пульс.

Обшарив карманы поверженной, он с глубоким удовлетворением обнаружил аккуратно упакованный пестрый пакетик (сервис, блин!!!), заботливо вернул его обратно и стал звонить соседям с просьбой засвидетельствовать отрадный факт изъятия наркотиков. Оказывать помощь подчиненному нужды не было. Тот на силовых задержаниях кулаки стер. Действительно, мгновение спустя из квартиры донеслись слабые стоны Заплаткина, подтверждающие, что захват произведен успешно. Еще через три секунды заговорила барабанная установка.

— Как ребенок малый,— проворчал Дукалис, поднося к носу блондинки специально приготовленный пузырек нашатыря.

Не дозвонившись до совести соседей, он решил отложить формальную часть вопроса на потом, заволок немного пришедшую в себя блондинку обратно в квартиру и запер дверь. Сейчас важнее встречать покупателей. Да, еще бы пара человек в помощь не помешали.

Бросив гепатитную даму на пороге, Дукалис устремился в большую комнату, откуда лилась веселая дробь пионерского марша. Заплаткин, цветущий толстячок лет двадцати пяти, покоился на ковре лицом вниз и тихо постанывал. Петров сидел за ударной установкой и с довольной рожей лупил палочками по барабанам и тарелкам.

— Кончай, Ринго Старр,— скомандовал Дукалис.

— Ты представляешь, Валентиныч? Ловлю по подъезду своего кота, а он от меня в открытую дверь. Я за ним в комнату влетаю, а в барабане — героин! О, как нам повезло!

Петров, не прекращая музицировать, кивнул на диван, где валялся полиэтиленовый мешок и несколько уже расфасованных доз. Пургу про кота он гнал не пурги ради. Иначе дело может развалиться. Незаконное проникновение в жилище автоматически амнистирует Заплаткина. Новый Уголовно-процессуальный кодекс строго стоял на защите прав простого гражданина и отпугивал милицию от завоеваний демократии. А так, хоть не сразу козла выпустят... Что, не может кот в чужую квартиру забежать? В кодексе про это ничего не сказано.

Анатолий Валентинович заглянул внутрь пакета, затем попробовал на вес.

— Ого. На полкило тянет. И пять лет с конфискацией.

— Не было никакого кота,— промяукал Заплаткин,— это не по закону...

— Заткнись... Валентиныч, а у меня получается стучать. Вот послушай темку.

Миша обрушил на барабаны град тяжелых ударов, от которых у начальника заложило уши.

— Завязывай, я сказал,— приказал Дукалис,— закончим, наиграешься. Девицу в комнату лучше перетащи.

Миша положил палочки, вылез из-за ударной установки и отправился выполнять приказ. Толик склонился над поверженным Заплаткиным, освежил нашатырем, после чего в двух словах разъяснил диспозицию. Откуда героин, паренек, мы с тобой отдельно поговорим. Вляпался ты основательно. В Китае за такое расстреливают, а в Малайзии вешают. У нас четвертуют, поэтому, ежели не хочешь остаться без рук, без ног, должен помогать. Встречать покупателей и продавать зелье. Мы будем стоять рядом и помогать торговле. Чем больше продашь, тем лучше нам всем. Согласен? Вот и хорошо. «В раба мужчину превращает наркота...» И не вздумай клиентам подмигивать, тик заработаешь... Сам подняться сможешь?

Вернулся Петров с висящей на плече блондинкой, словно первобытный охотник с добычей.

— Куда ее?

— Сказал же, во вторую комнату. Будем там их складировать. Балкона нет, не выскочат.

Едва Миша выполнил указание, раздался звонок.

— Быстро к двери,— прошептал Дукалис держащемуся за бок Заплаткину,— и рожу-то не криви, как роженица.

Тот, кряхтя, поковылял в коридор.

— Между прочим, звонок обычный. Не условный,— отметил наблюдательный Петров.

— Открывай,— приказал хозяину Дукалис, прячась за шкаф.

Миша засел в ванной, дверь которой выходила в прихожую. Заплаткин прильнул к глазку и тут же отпрянул, удивленно таращась на Дукалиса.

— Там ваши...

— Какие еще наши? — прошептал тот.

— В форме...

— Впускай.

Заплаткин отомкнул засовы, в квартиру ворвалась делегация из трех человек, возглавлял которую участковый инспектор Коля Иволгин.

— Ну что, Заплаткин, достучался?

— Куда?

— Не куда, а по барабану. Все зафиксировано со свидетелями,— довольный Иволгин кивнул на выглядывающих из-за его спины соседей,— ровно в двадцать три часа девять минут ты грубо нарушил общественный порядок. Я предупреждал, что поймаю? Предупреждал. Будем протокол составлять.

— Я не стучал... Это,— Заплаткин покосился на шкаф.

— Мне по барабану, кто стучал. Хата твоя, тебя и привлечем,— участковый развернул планшет и достал бланк протокола,— на первый раз штраф, потом пятнадцать суток.

— И долго ты в засаде сидел? — Дукалис появился из-за шкафа и предстал перед изумленной публикой.

— Три дня,— растерянно ответил Иволгин,— ой, Анатолий Валентинович, а вы тут откуда?

— Ты б еще месяц сидел. Миш, слышал? У нас работать некому, а он три дня дурака валяет.

— Почему дурака? — обиделся Иволгин.— Этот герой весь дом своим стуком достал. Я должен реагировать или нет? А как его еще поймать?

Из ванной вышел Петров.

— Ты б его лучше за героин поймал.

— Какой героин?

— Подучетных героев надо знать не только в лицо.

— Короче, так,— хлопнул Иволгина по плечу Дукалис,— протокол отменяется. Проходи в комнату, будешь караулить задержанных. А вы, граждане, сидите на кухне. Нам как раз понятые нужны.

— Мне на работу в шесть утра,— заявил сосед.

— Мы недолго,— успокоил его Петров,— выспитесь.

Спустя минуту все заняли исходные позиции. Работа закипела. С интервалом в пятнадцать минут к Заплаткину приползали темные и светлые личности микрорайона с целью приобрести заветный пакетик или ширнуться прямо на месте. Заплаткин никому отказать не мог по причине присутствия за шкафом Дукалиса. Конвейер крутился без перебоя. Деньги — героин — руки вверх — понятые — протокол изъятия — комната для задержанных — следующий. В комнате Иволгин, держа у бедра пистолет, читал пойманным бесплатную лекцию о правовом поле. К двум часам ночи слушателей набилось человек двенадцать, в том числе негр и один голландец, вероятно приехавший в Питер по обмену опытом.

Когда уставший, но довольный Петров предложил заканчивать операцию и вызывать из отдела транспорт и конвой, в квартире раздался очередной условный звонок.

— Все, берем последнего и на сегодня завязываем. Лучше завтра продолжим.

Измученный торговец героином, не дожидаясь команды, побрел к двери. Дукалис и Петров заняли привычные позиции. Иволгин прервал лекцию, опустив пистолет.

Заплаткин распахнул бронированную калитку, на пороге покачивался засаленный чахлый отрок с блуждающей улыбкой. Правая рука что-то придерживала за пазухой.

— Продашь? — без лишних церемоний спросил он Заплаткина.

— Продам,— кивнул тот.

«А ведь действительно продаст,— подумал Дукалис,— любопытная игра слов».

— Только, знаешь,— засмущался отрок, растягивая словно резину слова,— у меня с бабосами сейчас голяк. Возьми вот это.

Он что-то достал из-за пазухи и протянул Заплаткину.

— Чумовая вещь. У брата взял. Он себе новую купил. Она работает, не сомневайся, я проверил. Здоровьем клянусь.

Дукалис осторожно выглянул из-за шкафа, пытаясь разглядеть, что там принес молодой человек. Секунду спустя на него накатила волна благородной ярости. Он с ревом раненого носорога выскочил из засады, вмяв несчастного отрока в стену.

— Здоровьем клянешься, чахотка?! Брата, говоришь?! Убью!!!

Отрок выронил вещь на пол. Это была автомобильная магнитола. Из машины «мерседес» темно-вишневого цвета. Анатолий Валентинович узнал бы ее из тысячи. «Родная моя...» Марка, белая царапина на черной панели, самодельная ручка... Подарок Виктора Ивановича.

Бережно подняв магнитолу, Дукалис, шепча: «Убью, убью...», — выскочил из квартиры и, прыгая через пять ступенек, устремился вниз.

«Мерседес», слава богу, стоял на месте. Но с небольшим изменением во внешнем облике. Боковое стекло было безжалостно разбито обломком кирпича, лежавшим на сиденье. Содержимое бардачка валялось на полу. Толик застонал и обнял машину, словно раненого друга. «За что? За что? Неужели других машин мало... Не бойся, друг, я отомщу. Жестоко и страшно отомщу».

Толик наклонился и принялся трепетно собирать уже ненужные осколки с асфальта, словно их можно было склеить. Потом опомнился, сунул их в карман и бросился в подъезд.

«Когда ты счастлив сам — счастьем поделись с другим...»

Убью насмерть, желтуха!!!

Вход в квартиру перегородил Миша.

— Толя, не делай глупостей!!! Не надо!!!

— Пусти!..

— Он берет на себя все наши машины! Все двадцать! С твоей — двадцать одну! Толик, не убивай его! Мы же выйдем в лидеры! Он нам живой нужен!

— Он их берет или он их совершил?

— Естественно, совершил! Мне чужого не надо, ты ж знаешь! Толя, это круто! Если б не твой «мерсак»...

Дукалис чуть ослабил натиск.

— Почему он полез именно в мою тачку?

— Говорит, стояла в темноте, на ощупь — навороченная. Вот и соблазнился. Не переживай, Толь, страховку получишь, стекло купишь.

— Кончилась страховка, а на новую денег нет! И где я теперь такое стекло возьму?

— Пленкой пока залепишь... Главное, колченогого этого взяли, хоть передохнем от заявителей. Кстати, езжай в отдел заяву пиши. Будешь главным потерпевшим...

* * *

Утром, по обыкновению, позвонил репортер Кивинов.

— Толян, в дежурке сказали, ты стал жертвой. Это правда?

— Сам ты жертва,— ответил Дукалис, кромсавший ножницами большой кусок полиэтиленовой пленки. Пленка лежала в диване, когда-то ее использовали во время застолий в качестве скатерти-самобранки.

— Ты не переживай,— продолжал Кивинов,— у меня на днях тоже фотоаппарат сперли. В метро, из сумки. Даже как-то непривычно. Все вроде знаю, а проворонил. Слушай, вы же серию подняли. Сколько эпизодов? Двадцать?

— Двадцать один.

— Поздравляю!.. Я днем заскочу, узнаю подробности. Материальчик сбацаю. Подниму авторитет органов в глазах обывателя.

— Заскакивай,— Анатолий Валентинович положил трубку и продолжил прерванное занятие.

Закончив, завернул в канцелярию, попросил у секретарши скотч и вышел во двор к раненному в бою другу. Накрапывал мелкий дождь, заливая салон, пришлось принимать срочные меры по оказанию первой помощи. Петров разбирался с задержанной ночью публикой, поспать ему не удалось, как, впрочем, и Дукалису. Начальник РУВД, узнав о результатах операции, лично поздравил Анатолия Валентиновича, отметив, что тот сумел грамотно организовать работу отдела, и с назначением Дукалиса не прогадали.

— Стараемся, Юрий Александрович,— ответил Толик,— там, в кассе, на оперрасходы случайно не осталось? А то я свои потратил...

— Говорят, ты «мерседес» купил? И не стыдно после этого деньгу клянчить?..

Анатолий Валентинович приложил пленку к зияющему проему, прикрепил его скотчем. Мера временная, по крайней мере, салон не будет продуваться ветром. Час назад Дукалис позвонил знакомому автомеханику. Тот, узнав модель машины и год ее выпуска, призадумался. Таких стекол немецкая промышленность уже не выпускает. Можно поискать на складах запчастей. Может, где запылилось. «Давай, пригоняй завтра с утра агрегат, покумекаем. На крайняк из оргстекла вырежем». Дукалис в очередной раз пожалел, что связался с Виктором Ивановичем. На «Жигулях» за полчаса стекло бы поменял.

Мастерская находилась рядом с домом Анатолия Валентиновича. Чтобы не тратить драгоценного времени, он решил отправиться туда завтра до работы. Правда, бросать машину без стекла во дворе крайне опасно. На автостоянке же зарядят полтинник, а в семейном бюджете исключительно на обед, ужин и бензин. Плюс длинный список кредиторов. «Перебьюсь без стоянки. В случае чего, на заднем сиденье переночую, благо салон широкий».

Магнитола осталась в кабинете. Теперь это улика, вещдок. Придется немного потерпеть без музыки.

Он отошел от «мерседеса» на метр, оценил свою работу. Хреново вышло. Заплатка смотрелась, как синяк на лице фотомодели. Толик вздохнул. «Бедная моя... Как там прежний хозяин говорил? У машин есть душа, они все понимают и чувствуют. И боль, и заботу... И еще что-то про помощь...» Черт, а может, он прав? Вдруг она действительно помогает хозяевам?.. Сколько б мы еще ворюгу ловили?

Нет-нет. Чепуха все это... Обычное совпадение. Не пойди мы к Заплаткину, ничего бы и не случилось.

* * *

— Пустяки, починим без проблем,— механик оторвал пленку от окна «мерседеса»,— оказывается, у нас на складе таких стекол навалом.

— Серьезно, Паш? — обрадовался Толик.

— Без базара. Даже молдинги заменим. А то твои какие-то мятые.

— И во сколько все обойдется?

— Да стольник, не больше... Рублей. Все равно стекла хотели выбрасывать. Только место занимают. Таких тачек уже ни у кого не осталось. Где откопал?

— У знакомого купил... Ты прямо сейчас стекло поставишь?

— На склад сгонять надо. Это рядом, минут десять. Подкинешь?

— Само собой,— Дукалис достал ключ,— садись.

— Только переоденусь.

Механик скрылся в ангаре, на дверях которого Толик заметил подозрительное объявление: «Перебивка номеров двигателей и кузовов на ворованных иномарках. Недорого».

«Надо будет стукануть в угонный отдел. Потом. Когда стекло заменят».

Вернулся механик.

— Дай, я поведу... Заодно послушаю, что еще болит.

— Конечно. Держи,— Дукалис протянул ему ключ, обошел машину и сел на пассажирское место.

Они выехали на оживленный проспект, механик тут же включил форсаж, разогнав «мерседес» до сотни. С учетом интенсивного движения, не самый лучший вариант.

— Карбюратор, похоже, заливает, шаровые постукивают,— ставил диагноз Паша, назвав затем еще около десяти неполадок, при этом не снижая оборотов.

— Ты б скинул чуток,— предложил Дукалис, вжимаясь в кресло,— протараним кого-нибудь.

— Все под контролем. Я ж стритрейсер.[1] На деньги с мужиками по пробкам гоняем. Довезу.

Езда напоминала Толику компьютерные гонки, в которые любила играть дочка на старенькой приставке. Влево-вправо, влево-вправо... По встречной. Правда, если стукнешься, эффект будет не компьютерный.

Стрелка переползла цифру сто двадцать. Толик ватными ногами уперся в пол. Сто тридцать, сто сорок...

— Сбрось скорость! Слышишь? Тормози!

Механик, будто не слыша, загорланил песню. «Гуд-бай, Америка, о-о-о...»

Впереди, из-за угла выполз тяжелый тягач с длинным прицепом, напоминавший динозавра. Водитель, вероятно, не видя приближающегося справа «мерседеса», начал пересекать проспект. И явно не успевал это сделать.

---

[1] Стритрейсер — уличный гонщик.

— Тормози!!! — заорал Дукалис, понимая, что свернуть в сторону невозможно.— Куда ж он прет, придурок?!!

Паша перекинул ногу с газа на тормоз, выжал педаль... Та с убийственным треском отвалилась и отлетела под кресло.

— Черт! Она ж гнилая! Что ж ты не сказал?!

Дукалис не ответил. Он заторможенным взглядом смотрел на огромную тушу прицепа, с бешеной скоростью летящую навстречу. Три, два, один... Толик зажмурился и выставил перед собой руки... Все, хана! Откатался...

...Когда он открыл глаза, машина продолжала ехать как ни в чем не бывало. Только сидел он не на переднем сиденье рядом с Пашей, а почему-то лежал на полу, между передними и задними креслами. Лежал на спине, согнув ноги в коленях, и ошалело таращился в потолок.

«Неужели проскочили?.. А как я оказался здесь»?

Сознание медленно возвращалось. «Механик Паша... Стекла на складе, тягач... Стоп, я ж не знаю никакого Паши... Блин, это ж все приснилось!»

Дукалис проснулся окончательно, придя в себя и все вспомнив.

Бросать машину без стекла во дворе он не решился. Часиков в десять вечера, предупредив жену, взяв байковое одеяло, термос с чаем и бутерброды, спустился вниз и кое-как разместился на заднем сиденье широкого салона. В принципе, с его комплекцией лежать было можно, чуть подогнув ноги. Толик, не спавший вторые сутки, вырубился моментально. Вероятно, во сне свалился с сиденья на пол. Да еще чепуха эта привиделась...

Привиделась?.. Он перевел взгляд с потолка на стекло и заметил мелькающие за ним фонари. Машина двигалась! Причем с приличной скоростью... Что за чертовщина? Он попытался подняться и тут услышал фразу, от которой замер...

— Не гони так. Легавые тормознут.

— Спокуха... Их тут никогда не стояло...

Голоса принадлежали мужчинам зрелого возраста. Разглядеть их лиц в силу местонахождения возможности не было. Толик замер, анализируя ситуацию. Мозг опытного оперативника мгновенно подсказал, что вряд ли ребята перепутали в темноте свою машину с его «мерседесом». Угонщики. Интересно, а как они движок завели? Всяко не ключом. Скорей всего, провода замкнули напрямую. А стало быть, рулевую колонку разворотили.

— Зря мы «мерсак» дернули... Больно приметный,— продолжал первый,— надо было «жигуля».

— Ничего не зря. Эту рухлядь никто искать не будет. Зато от ментов сорваться можно в случае чего. И, главное, Дюбель ни хрена не заподозрит. Сам прикинь, какой дурак будет «мерс» взрывать, даже старый. Дешевле родной «Москвич» заминировать. Или «Оку». Да и сам Бог велел. Стекла нет — сел и поехал...

— Ладно, убедил... Интересно, чья она?

— Не все ли равно? Лоха какого-нибудь... Или вообще ничья. Ты бы бросил тачку без стекла?

— Нет. Стоянки же есть.

— Вот и я о том же... Так что операцию «Перехват» из-за этого корыта объявлять не будут... Одно плохо, глушак рваный, шума много. Замотай потом чем-нибудь.

— Хорошо.

Дукалис продолжил оперативный анализ. «Лоха», «рухлядь» и «корыто» он пропустил мимо ушей, вернее, сделал пометочку в памяти, чтоб разобраться после. Ухо зацепило знакомую кликуху. Дюбель. Бывший прораб, в начале девяностых сменивший строительный пистолет на боевой. Прошел все стадии эволюции. От бойца до отца. Сейчас легализовался, вспомнил основную специальность и возводил жилые комплексы. Ну и кое-чем по мелочи промышлял — туризм, казино, рестораﮑии. Никакого криминала, боже упаси... Чтобы очиститься от скверны окончательно, даже принял обряд крещения. Но, видимо, процесс очищения шел с трудом. Либо кому-то загораживали солнце построенные им дома. За последние полгода на Дюбеля трижды покушались. И везде ему чертовски везло. Пули летели мимо либо не задевали жизненно важных органов. Судя по всему, теперь пули решили заменить более надежной взрывчаткой. А в качестве оболочки для тротила или гексогена использовать несчастный «мерседес» и. о. начальника уголовного розыска 85-го отдела милиции Анатолия Валентиновича Дукалиса.

Что последнего чрезвычайно расстраивало и беспокоило. Он осторожно надвинул на себя одеяло, оставив щелочку для глаз. Именно из-за одеяла угонщики и не заметили в темноте лежащего на полу человека. Хорошо б не замечали и дальше. Конечно, можно было с криком выскочить из засады, столкнуть две башни и наслаждаться увиденным. Если не инфаркт, то по крайней мере мокрые штаны взрывникам обеспечены. Но тут вновь вмешался инстинкт оперативника. Вряд ли ребят арестуют за один угон, даже у сотрудника милиции. Оставят гулять на подписке. А насчет взрывчатки господа скажут, что пошутили. И дело свое черное все-таки рано или поздно доделают, предупреждай Дюбеля, не предупреждай. К тому ж он и сам знает.

А ребята не простые. Ребята золотые... И убойному отделу очень понравятся, много они общих тем найдут. Стало быть, до последней возможности надо лежать и не высовываться. Заметят, тогда деваться некуда, придется крутить. Обидно, пистолета нет с собой. Лишь бы не чихнуть...

Пассажир раскрыл бардачок, где лежали бутерброды и термос с чаем.

— Глянь — закусь... О, и чаек горячий... Значит, не бесхозный «мерсачок». Будешь?

— Давай.

Минуты три из передней части машины доносилось не-культурное чавканье.

«Чтоб вы подавились моими бутербродами».

— Надо в багажнике пошарить. Чего добру пропадать, если оно там, конечно, есть.

Добро в багажнике было. Запаска, вполне пригодная к эксплуатации, ножной насос, ведро и новый китайский набор инструментов, подаренный женой.

— Здесь лучше сворачивай. На развилке мусора тусуются.

— Не учи.

Машина ушла вправо, запрыгала по ухабам. Пропетляв еще минут двадцать, остановилась. Толик краешком глаза выглянул из-под одеяла, ничего не разобрал в окне, кроме отблеска тусклого фонаря.

— Брезентом накрыть? — спросил пассажир.

— Не надо. Лишнее внимание. Ничего с ней за два дня не случится.

Оба вышли из машины. Лязгнул открываемый багаж-ник, затем глухой звук от брошенной на землю запаски.

Дукалис опять выглянул. Один из парней стоял прямо напротив окна и курил. Черная шапочка. Длинный, как у Пиноккио, нос. Серебристый перстень на большом пальце.

— Отваливаем.

Судя по звукам, парни перегрузили содержимое багаж-ника в другую машину, затем сели в нее сами и скрылись с места событий. Дукалис откинул одеяло, вскарабкался на сиденье и посмотрел на руль. Так и есть. Колонку изуродо-вали, сволочи. Причем варварски. Провода свисали вниз, словно стекающие струйки из кровоточащей раны. Вы-плеснув по этому поводу поток матерного сознания, Ана-толий Валентинович осторожно вывалился из салона «мерседеса» и бегло огляделся. Определить местонахожде-ние в темноте оказалось крайне затруднительно. Свет от одинокого, каким-то чудом сохранившегося здесь фонаря выхватывал лишь фрагмент разбитой кирпичной стены с корявым предвыборным лозунгом, сделанным баллончиком. «Единая Россия — сильная Россия». Определенно было ясно, что это не Невский проспект. И даже не Ленинский. Толик прислушался. С южной стороны доносился отдаленный гул трассы и собачий лай. Скорей всего, пригород. Как до дома-то добраться? Или до отдела? Денег — по нулям. Но, главное, обратную дорогу хрен в потемках запомнишь. Останешься без тачки. А Дюбель — без мозгов. Нет, блуждать по грязи во мраке под начавшимся дождем совершенно непрофессионально. И бросать любимую машину в одиночестве недопустимо. Ей и так, бедняжке, досталось. Не хватало, чтоб окончательно разворовали. Вывод напрашивался сам собой. Возвращаться под одеяло, дожидаться рассвета, а дальше действовать по обстановке. Взрывники до утра не вернутся, а если вернутся, можно закосить под бомжа. Да, это оптимальный вариант. Хоть высплюсь...

Толик повернулся к «мерседесу» и, словно любимую кошку, ласково погладил его по крыше.

— И чего ж нам с тобой так везет? Но ты не волнуйся, все будет нормально. Мы еще прокатимся в Павловск...

«Конец автомобильного вора...»

Прочитав заголовок заметки, Соловец поднял глаза на Дукалиса.

— Хорошее название. Незаезженное. Делает честь фантазии автора. Что ж, почитаем. «Длительное время автолюбители Кировского района страдали от действий неизвестного злоумышленника, совершавшего кражи из оставленных на улице машин. Способ был довольно прост. Ночью разбивалось стекло и похищалось все ценное, что было в салоне. Несмотря на принимаемые меры, оперативники 85-го отдела милиции долго не могли выйти на след преступника. Но, в конце концов, это удалось сделать. Была получена оперативная информация, что преступник в очередной раз собирается на дело. Сыщики решили устроить засаду. Рядом с подъездом, где проживал воришка, начальник уголовного розыска Анатолий Дукалис поставил свою личную машину „мерседес", а сам, вместе с подчиненными, наблюдал за ней со стороны. Капкан сработал. Увидев незнакомый автомобиль, преступник, недолго думая, разбил камнем стекло и попытался похитить магнитолу, но был задержан с поличным подбежавшими оперативниками. Им оказался нигде не работающий Иванов К. С., семнадцати лет, к тому же наркоман. Под тяжестью улик он признался в совершении еще двадцати краж из автомобилей. Иванов арестован, ведется следствие. Андрей Рублев».

Закончив, Соловец глубоко затянулся «Беломором» и прокомментировал:

— Н-да, видно, тяжелы были улики... Все-таки отказники у Андрюхи лучше получались. А тут какая-то казенщина... Хорошую он себе кликуху выбрал. Рублев. Толик, ты на самом деле машину подставил? И не жалко?

— Моя фамилия не Абрамович, лишних машин нет. Кивин приукрасил.

— Он не только приукрасил. Он тебя под УСБ [1] подвел.

— Как это?

— Думаешь, они пропустят информацию, что у простого зама рядового отдела личный «мерседес»? Особенно в разгар травли оборотней.

— Ох, блин,— оторопел Дукалис, но тут же взял себя в руки,— мой «мерседес» дешевле горбатого «Запорожца».

— Между прочим, в заметке не сказано, сколько он стоит. «мерседес» и на Чукотке «мерседес». Хорошо хоть не

---

[1] УСБ — Управление собственной безопасности.

написано — шестисотый. А уэсбэшники — ребята горя-
чие. Они сначала кол осиновый в спину забьют, а потом на
машину посмотрят. Он небось на тебя оформлен?

— На меня,— растерянно подтвердил Толик.

— Поздравляю. Готовься...

— Ну, Кивин... Получит он у меня теперь информацию...
Запиликала мелодия «Мурки». Соловец снял с пояса
трубку.

— Да... Так... Отлично... Мы выдвигаемся. Аккуратно
там, не засветитесь. Связь через меня. Удачи.

Отключившись, он бросил газету на стол, загасил «беломорину» и поднялся.

— Вперед, Толик... Они выехали.

Дукалис тоже поднялся.

— Не потерять бы...

— Ничего... Мы же знаем их цель.

Они выскочили из кабинета Управления уголовного
розыска. Внизу, в холле бил небольшой декоративный
фонтанчик. (Не пиво!) Дукалис пошарил в карманах, нашел монетку и бросил ее в воду.

— Чтоб вернуться.

Погрузившись в неприметную «копейку» с граждан-
скими номерами, они двинулись в соседний квартал, где в
элитном доме обитал пока еще живой предприниматель
Дюбель.

— Да, Толик... Как хорошо, что они угнали именно
твою машину. Согласись.

Толик был согласен лишь наполовину. Как опер он был
доволен, но как хозяин машины... Еще неизвестно, чем
все закончится. Ситуация напряженная, один неверный
ход и... Пострадает не только Дюбель. Пятьдесят кило тротила — это не хохмочка.

Благополучно переночевав в «мерседесе» позапрошлой
ночью, Толик помчался к Соловцу, даже не завернув в родной отдел. Рассказал о приключившейся истории. «Да,—

подтвердил Георгиевич,— на Дюбеля охотятся. Пуля его не берет, похоже будут взрывать». К «мерседесу», припрятанному киллерами, кстати говоря, в Павловске, рядом с разрушенным коллектором, тут же отрядили двух оперов убойного отдела. Наблюдать за происходящим перемещением противника. Те отзвонились к вечеру. Противники прибыли, готовятся к бою. Говоря конкретней, сменили на машине номера, загрузили в багажник «мерседеса» тротиловые шашки общим весом килограммов пятьдесят и установили взрыватель дистанционного типа. То есть рвать Дюбеля будет не камикадзе. Сигнал пошлют с брелока. Обоих бомбистов записали на видеокамеру, вышел неплохой триллер.

Соловец доложил руководству, руководство после долгих раздумий постановило брать взрывников с поличным. Изымать тротил из брошенной машины не имело смысла. И даже если в ней будет водитель. Черта с два докажешь умысел на убийство. Дежуривших в засаде оперов сменила более квалифицированная служба наружного наблюдения. Возле дома Дюбеля поставили вторую бригаду, замаскированную под работяг, меняющих водопроводные трубы во дворе. За сутки ребята вырыли приличную яму, но до труб пока не добрались.

Сегодня в семь утра к «мерседесу» подъехала «девятка», из нее вышел человек в черном и пересел в начиненный тротилом автомобиль. Дюбель уходил из дома в восемь и, если бы не вмешательство милиции, жить бы ему оставалось час. Его, разумеется, поставили в известность и попросили поучаствовать в операции. Узнав вес тротила, он категорически отказался, но, услышав от Соловца «до свидания», все-таки согласился. Правда, потребовал письменных гарантий безопасности.

Сегодняшнюю ночь Дукалис провел в Главке, в кабинете Олега Георгиевича, ожидая сигнала наружки и разгадывая кроссворды. Миша остался в отделе за старшего и единственного. Периодически звонил, докладывая обстановку. Анатолий Валентинович не мог оставаться в стороне от захвата бомбистов. Он просто обязан в трудную минуту быть рядом со своим немецким другом.

До дома Дюбеля от Главка Соловец доехал за пять минут. Бросив машину на безлюдном проспекте, они с Дукалисом прошли во двор и, чтобы не маячить, поднялись на второй этаж одного из подъездов, встав возле окна. Обзор отсюда был прекрасным. Подъезд Дюбеля находился напротив. Буквально в десятке шагов от него мокли под дождем несколько иномарок. Скорей всего, рядом с ними бомбисты и поставят нашпигованный тротилом «мерседес» Анатолия Валентиновича. Самая сложная задача — вычислить товарища с брелоком. Он, гад, может притаиться где угодно. И на соседнем чердаке, и в любом подъезде. А то и в специально снятой квартире. Подключенные к делу взрывотехники ФСБ немного подстраховали операцию, поставив рядом машину с устройством, подавляющим радиосигнал с брелока. Расчет прост. Увидев, что бомба не сработала, киллер бросится к «мерседесу» чинить взрывной механизм. Здесь его можно тормозить. Брелок на кармане, тротил в машине, умысел налицо. Иначе отоврется, собака. Возможно, жать кнопку будет сам водитель, что облегчит ситуацию. Естественно, Соловец и Дукалис не одни собирались задерживать красавца. Человек двадцать оперов находились поблизости, замаскировавшись, кто как может. Даже секретчица [1] Анюта выгуливала на площадке своего пуделя.

Прошло сорок минут нервного ожидания. Толик заметно переживал, Соловец был спокоен.

— Не волнуйся,— поддержал друга Георгиевич,— если что, Дюбель тебе новый «мерсак» подарит.

---

[1] Секретчица — сотрудник, оформляющий секретные документы.

— Ага. Как, интересно, он подарит? С того света пришлет?

Друзей прервал мотив «Мурки». Соловец мгновенно отозвался.

— Да... Какой корм?.. Ты чего, сама не можешь? У меня денег нет... И не звони мне, я в засаде.

Он раздраженно отключил трубку.

— Жена звонит, просит корм для кошки купить. Нашла время.

Телефон тут же ожил.

— Слушаю... Так, хорошо. Понял. Встречаем,— Олег Георгиевич, убрав трубку, посмотрел на Дукалиса,— он чешет в нашу сторону. Вот-вот будет здесь.

Дукалис перекрестился и прильнул к окну. Соловец по рации передал условный сигнал боевой тревоги.

Как и обещала наружка, через пять минут во двор вкатился родной темно-вишневый «мерседес» без бокового стекла. Привычного рева мотора ухо не уловило, значит, глушитель замотали. «Могли бы и стекло заодно вставить»,— недовольно проворчал Дукалис.

Машина притормозила рядом с белой «вольво», метрах в пяти от подъезда Дюбеля. Последний по графику выйдет с минуты на минуту. За ним заедет джип с охраной. Человек в черном покинул «мерседес» и быстрым шагом устремился к мусорным бакам, черневшим на отдалении и огражденные кирпичной кладкой. В принципе, очень удобное место. И сигнал долетит без помех, и взрывной волной не зацепит. Тут же вторая арка, ведущая со двора. Нажал и отвалил.

— Это тот самый, что тачку угонял,— прошептал Толик,— длинноносый.

Дойдя до помойки, парень притаился за кирпичной стеной, поглядывая на «мерседес». Соловец дал условленный тональный сигнал на рации. Трепаться открыто было уже нельзя. Подрывник или его компаньоны могли слушать эфир.

К подъезду подкатил черный «гелентваген». Дукалис, не выдержав напряжения, спустился вниз и затаился за дверью подъезда. Спустя пару минут в сопровождении двух телохранителей показался Дюбель. Просьбу вести себя естественно он проигнорировал. Прикрыв голову руками, прыгнул в раскрытую дверь джипа, который тут же сорвался с места.

— Толя, он жмет кнопку! — заорал сверху Соловец и, уже не таясь, продублировал в рацию: — Первый, пошел!

Бомбист, направляя брелок на «мерседес», тщетно пытался произвести взрыв. Впрочем, повторить попытку ему не дали. Из мусорного бачка выскочил затаившийся там опер и, словно звезда рестлинга, всей массой рухнул на киллера. Немного промахнулся, тот смог увернуться и бросился к арке, но, заметив там людей с пистолетами, метнулся назад.

Выскочивший из подъезда Дукалис уже ждал противника для честного поединка. Удар обломком трубы по коленной чашечке врага был страшен. В течение последующей минуты каждый из присутствующих на задержании оперов посчитал своим долгом приложиться к поверженному киллеру. Дабы попасть в приказ и получить ценный приз или денежную премию. Даже секретчица Анюта не смогла удержаться от соблазна и разок ткнула беднягу острым носком дамского сапожка под ребро.

Когда страсти немного улеглись и задержанного унесли подальше от глаз городской общественности и невесть откуда взявшегося телевидения, к Дукалису и Соловцу подошел взрывотехник ФСБ.

— В общем, так, мужики... Разминировать тачку вряд ли получится. Непонятная у них какая-то система, рисковать нельзя.

— И чего? — почуяв страшное, выдавил из себя Дукалис.

— Придется буксировать за город и расстреливать.

— Кого расстреливать?

— Говорю ж, тачку. Да ладно, подумаешь. Не тачка и
была... Сейчас вызовем транспортер и вывезем. Обычное
дело.

Несчастный Толик медленно повернулся к своему об-
реченному другу, комок подступил к горлу. Ему показа-
лось, что из больших квадратных фар «мерседеса» текут
слезы.

«Я спасу тебя! Я, я...»

Дукалис, оттолкнув взрывотехника, ринулся к «мерседесу».

— Толик, не надо!!! — заорал Соловец, дернувшись следом, но тут же застыл на месте.— Вернись, идиот! Взо-
рвешься на хрен! Тебе Дюбель новую подарит!!!

— Не надо мне новой,— прошептал Анатолий Валентинович, распахнув багажник.

Все, кто находился во дворе, рухнули на мокрый асфальт, прикрыв головы руками.

Дукалис вытер с лица испарину. Тротиловые шашки,
уложенные ровными рядами, разноцветные провода, ве-
дущие к детонатору. Красный, желтый зеленый... Толик
вытащил из кармана складной нож... Какой перерезать?

— Толя, не делай этого!!! Толи-и-и-ик!!!...

Руки дрожали. Красный, желтый, зеленый... Светофор.
Пусть будет зеленый. Путь свободен.

— Толик!!!

Дукалис рубанул по проводу.

Раздался взрыв...

— Толь, о чем задумался? — Улыбающийся Соловец
хлопнул друга по плечу.

Тот вздрогнул и тупо уставился на Георгиевича. Затем
медленно повернул голову.

«Мерседес» стоял на месте, в его чреве, словно хирурги, возились взрывотехники, облаченные в тяжелые защитные костюмы. Специально натянутая красная лента не пускала к машине посторонних.

— Тебя будто самого трубой огрели.

— Нашло что-то. Перенервничал,— тихо ответил Дукалис и тут же спросил, выйдя из заторможенного состояния,— они будут его взрывать?

— На хрена? Сказали, так разминируют. Но если хочешь, взорвут. Да расслабься ты. Жертв и разрушений нет.

Анатолий Валентинович перешагнул ленту, подошел к «мерседесу» и положил руки на крышу, словно забирая его боль себе.

— Вы б отошли на всякий случай, молодой человек... Мы еще не закончили.

***

— Послушай, писака. За такие заметки иконостас чистить надо! — Дукалис ревел в трубку, словно пробитый глушитель.— Андрей, блин, Рублев!

— А что случилось-то? — недоумевал на другом конце провода Кивинов.

— Мне уже из УСБ звонили, интересовались, на какие «мерседес» купил?

— Не переживай, Толик. Они его увидят и больше никогда не будут тебя беспокоить. И вообще запомни, кроме некролога, хороша любая реклама. О тебе узнают деловые люди, поймут, что человек ты солидный, станут обращаться за помощью...

— Не нужна мне такая реклама.

— Ну ладно, не сердись. Народ должен знать, кто его бережет... У тебя там опять, я слышал, заморочка? И снова с «мерсаком». Прямо какой-то робокоп. Вернее, автокоп. Может, поделишься подробностями?

— Некогда мне,— ответил Дукалис,— Соловцу звони.

Анатолий Валентинович немного приврал, из УСБ его пока не беспокоили.

— Готово, Валентиныч,— водитель Никита поднялся с пола и продемонстрировал свою работу: вырезанный из мутного оргстекла фрагмент. Стекло час назад лежало на столе Дукалиса и не подозревало, что в ближайшее время станет запчастью автомобиля «мерседес».

А что было делать? Механик обрадовал, что таких стекол нет, а изготовить новое обойдется в триста евро, без учета НДС. Толик посоветовался с Никитой. Тот, осмотрев пробоину, взялся смастрячить замену, благо гнуть стекло почти не надо. Сделал выкройку из газеты и прямо в кабинете произвел резку с помощью старого ножовочного полотна. Рулевую колонку Никита перебинтовал изолентой, а провода подсоединил к замку зажигания. Неэстетично получилось, но...

— Пойду, примерю... Обидно, стекло мутное, плохо видно будет,— взяв запчасть под мышку, водитель исчез за дверью.

«Виктор Иванович был прав, „мерседес" второй раз отличился... Чертовщина полная. Он преступников будто притягивает. Точно — автокоп. Так дальше пойдёт, до уик-энда не дотяну».

Мысли Дукалиса прервал очередной звонок. На сей раз от счастливого Соловца.

— Толик! Поздравляю! Приказом начальника ГУВД за оперативное мастерство и проявленное мужество ты только что награжден ценным подарком. Фирменной йогуртницей!

— Чем-чем?

— Йогуртницей! Фигня такая для приготовления йогуртов!

— Ничего умнее они не могли подарить? Лучше б машину починили.

— Дарят не они, а спонсоры... Слушай, Анатоль, ты нам здорово помог. Мы сейчас эту бригаду крутим. Убийство депутата помнишь? Их работа. Они третий год заказухами промышляют, представляешь, сколько дел поднимется. Там и на заказчиков выходы есть. Помалкивай только пока, особенно журналистам. И Кивина предупреди, чтоб не трезвонил. Ну, все, бывай. Йогуртницу на День милиции вручат.

— Спасибо за заботу.

Повесив трубку, Толик накинул куртку и вышел во двор. Никита вставлял стекло в зияющий проем.

— Тик-в-тик, Валентиныч. Как родное. Тело мастера боится. Опускать, правда, нельзя, но зато вода не попадает. Я замазочкой укрепил, держаться будет мертво.

— Спасибо, Никита.

Толик забрался в салон, поглядел на мир сквозь мутное стекло. Кое-что видно.

Странно, но он уже не жалел, что купил эту машину. И чем больше ей доставалось, тем более нежные чувства к ней он испытывал. Если, конечно, подобное сравнение уместно в отношении автомобиля. Его уже не раздражал запах бензина, он не слышал скрипа подвески и рева глушителя... Это стало каким-то дорогим, можно сказать родным. Толик достал носовой платок и аккуратно стер пыль с торпеды. «Ничего, старушка,— мы еще с тобой покатаемся, никому я тебя не отдам».

К машине подошла девушка, одетая в джинсы и легкую куртку.

— Здравствуйте. Анатолий Валентинович — вы?

— Я,— кивнул Дукалис, покидая салон машины.

— Меня зовут Настя. Меня к вам на практику прислали. На неделю.

— Школа милиции?

— Универ. Ознакомительная стажировка. По программе положено.

Толик скептически посмотрел на девушку.

— А парней у вас нет?

— Есть. Но они в Главке стажируются. Я сама на землю попросилась. Тут столько увидеть можно.

— Ладно, ознакомим. Пошли,— Толик направился в отдел, прикидывая, чем бы занять практикантку.

В дверях он столкнулся с участковым Иволгиным.

— Анатолий Валентинович, а я за вами. В дежурку из УСБ звонили. Срочно вызывают к себе. Вместе с машиной.

«Накаркал, зараза!»

Невзирая на присутствие практикантки, Дукалис смачно выругался. Настя не покраснела.

— И что вот им, прямо сейчас приспичило?!

— Говорят, да...

— Поехали! — Взбешенный Толик кивком указал Насте на «мерседес».— Посмотришь, с чего наша работа начинается. Романтика, бляха!

Они прыгнули в машину. Дукалис, не переставая ругаться, вырулил со двора, свернул на Ленинский проспект и резко газанул. Но на ближайшем светофоре пришлось затормозить: горел красный.

— Не переживайте, Анатолий Валентинович,— попыталась успокоить его Настя,— может, завтра вы и не вспомните про сегодняшний случай. Ко многому надо относиться проще.

— Не умею я проще,— буркнул Дукалис,— а этих охотников на оборотней хрен забудешь. Интересно, на каких тачках они сами ездят?

— У них тоже своя работа... Вот у нас, в универе...

Договорить Настя не успела. Мощнейший удар в багажник «мерседеса» бросил их вперед. Анатолий Валентинович расшиб подбородок о руль, не успев подставить руки. Скре-

жет металла, звон разбитого стекла, вскрик практикантки...
Запах гари. Хорошо, нога стояла на педали тормоза, и машина не выкатилась на перекресток. Дукалис обернулся. На
том месте, где раньше был багажник, блестели толстые дуги
«кенгурятника», установленного на бампере огромного черного джипа, за рулем которого мелькнуло перепуганное до
смерти бледное лицо молодого рыжеволосого водителя.

«Молись, собака!»

Вываливаясь из машины, автоматически выхватил пистолет. (Раз джипарь — значит, братва!) Водитель внедо-
рожника находился в салоне не один. Из задних дверей
выскочили двое. Кавказцев. В черных коротких куртках.
У длинного блеснул длинный широкий нож. Второй сжимал
в руке цепь.

— На землю!!! — словно умалишенный, на всю улицу
заорал Толик, прицеливаясь в голову длинного.— На землю, я сказал!!! Милиция!!!

Грохнул предупредительный выстрел. Кавказец вздрогнул и выронил нож.

— На землю!!!

Из джипа высунулся позеленевший водитель и закри-
чал Дукалису:

— Держите их! Это бандиты!

Мелкий кавказец резко развернулся и бросился назад.
Но споткнулся о высунутую из-под колеса ногу в джинсах
и растянулся на асфальте. Секундой спустя на его спине
сидела Настя, умело выворачивая правую руку. Кавказец,
стиснув зубы, выдавливал из себя проклятия. К Насте тут
же присоединился водитель джипа.

Длинный не стал капризничать под стволом пистолета,
лег на землю и положил руки за голову, чтобы не били. Дукалис быстро обыскал его, затем повернулся к «мерседесу».

Багажник был вмят в салон, гнутый бампер отлетел в
сторону. Осколки заднего стекла и фар, словно застывшие
слезы, рассыпались по асфальту. Нокаут.

Толик застонал и медленно повернул голову в сторону рыжего водителя, поднимая пистолет.

— Не стреляйте! Я все объясню! Я все починю...

* * *

— Это шефа джип... У нас в Купчино офис. Страховая фирма. Я водителем у него работаю. В обед, пока время было, на заправку решил сгонять. Все нормально, заправился, обратно поехал. Салон не закрыл изнутри. Я его, в общем-то, только ночью закрываю. На светофоре из «восьмерки» двое черных выскочили — и на заднее сиденье. Быстро так, я и опомниться не успел. Один цепь на шею набросил, второй нож к горлу.

Вези, куда скажем. Козлы черные. Я врубился в тему, штаны даже намочил, извиняюсь... Джип на семьдесят тысяч тянет, вряд ли меня живым выпустят. Стал прикидывать, что делать... Проехали по Славе, затем на Ленинский. На юго-запад, короче, на окраину. Там и залив Финский, и прудов до дури. В любой труп сбросить можно... И на помощь ведь никого не позовешь! Пику мне недолго воткнуть и самим за руль сесть. Короче, жуткая ситуация, до сих пор руки дрожат... Я-то город хорошо знаю, вспомнил, что мимо милиции поедем. Скорость немного скинул, гляжу из вашего двора «мерседес» выруливает. На Ленинский свернул и на светофоре встал. Повезло, что красный горел.

У меня выхода другого и не оставалось... Конечно, риск был, что за рулем не мент, простите, милиционер, но... Я газанул и «мерсачку» поцеловал...

Простите, если что не так. Не со зла я... Чтоб вы на моем месте сделали? А насчет «мерседеса» не волнуйтесь. Шеф ремонт оплатит. Он мужик нормальный.

Спасибо... Повезло мне с вами...

* * *

Утром в кабинет, сверкая довольной рожей, ворвался Петров.

— Валентиныч! Это сильно!

— Что стряслось?

— Ларин в семь утра звонил, опер из разбойного отдела. Они ночью черных кололи и на обыска мотались! Короче, за этими абреками восемь отобранных джипов! И восемь трупов! Представляешь, каких бойцов вы с Настей повязали! Сколько б они еще бомбили!

— Да мы-то тут не особо...

— Не скажи! Не поедь ты в нужный момент на своем мустанге, ничего бы и не случилось. Я прикинул, мы за эту неделю раскрыли больше, чем за год! Очень удачно ты «мерс» прикупил.

— Не сыпь мне соль на бампер... Да и ни при чем здесь «мерс»... Как Настя? Нравится работа?

— Визжит от восторга. Она там сейчас заявителя обрабатывает. Я ей объяснил, схватывает на лету. Жаль, она не к нам после универа хочет, а в прокуратуру.

— Может, передумает.

Анатолий Валентинович поднялся из-за стола и подошел к окну. Во дворе, под пленкой, придавленной кирпичами, мок под дождем его тяжелораненый друг. Вчера вечером звонил Виктор Иванович, доложил, что договорился насчет амортизаторов. Толя поблагодарил, ничего не сказав о случившемся... «Черт, я ведь даже не успел съездить на уик-энд».

Петров, угадав мысли друга, несильно хлопнул его по плечу.

— Не переживай, Толь. Починим мы твой «мерседес»...

— Да, само собой,— вздохнул Дукалис,— но я вот думаю, что будет потом?

— В каком смысле?

— Вдруг он опять... Кого-нибудь поймает.

Миша тоже выглянул в окно, посмотрел на «мерседес», затем на Толика.

— Но ты ж сам говоришь, машина тут ни при чем. Все правильно... Я тоже в этом уверен.

* * *

Спустя месяц Анатолий Валентинович забрал «мерседес» из мастерской. Хозяин джипа сдержал обещание, дав денег на ремонт. Там же, в мастерской, на авто поставили новые амортизаторы и рулевую колонку. Бесплатно отполировали кузов, заменили масло. Дукалис был счастлив.

В тот же день они с Петровым сорвались на задержание квартирного вора, застуканного бдительными соседями по лестничной площадке. Дежурной машины, как всегда, под рукой не оказалось, пришлось гнать на личном транспорте.

Когда выводили из подъезда скрученного квартирника, в брошенный на улице «мерседес» на огромной скорости въехал «КамАЗ», за рулем которого, как выяснилось впоследствии, сидел угнавший его веселенький наркоман. Если б Толик не спешил на задержание и припарковал машину в более безопасном месте, «КамАЗ» промчался бы мимо. В направлении оживленного перекрестка... Что произошло бы дальше, догадаться несложно...

«Мерседес» восстановлению не подлежал.

* * *

На следующий день на месте героической гибели темно-вишневой машины кто-то положил живые цветы и поставил стакан бензина...

КЛЮКВА В ШОКОЛАДЕ

Закрытое, совершенно секретное совещание уголовного розыска 85-го отделения милиции протекало в сугубо деловой, но при этом творческой обстановке. На нем присутствовали оперативные уполномоченные и руководство в лице специально приглашенного заместителя начальника отделения Олега Георгиевича Соловца. Или просто — Георгича. Наличие шефа являлось обязательным — слишком серьезным был повод для экстренного сбора. Разрабатывался план операции под кодовым названием «Клюква в шоколаде», проводимой ввиду ухудшения криминогенной обстановки на территории и в связи с присвоением сразу двум сыщикам очередных званий.

Анатолий Дукалис дослужился до капитанского чина, а детский инспектор Слава Волков получил старлеевскую звездочку. Как заметил инспектор Кивинов: «Озвездилась двойня». По этой причине обоим начислили главковскую премию, которую ни тот ни другой пока не получили, но денег в ее счет назанимали.

Деньги были неотъемлемой частью «Клюквы в шоколаде», без них затевать что-либо не имело смысла. Название операции родилось как-то само собой. В кабинете Кивинова на сейфе валялась пустая коробка из-под конфет, давным-давно изъятая с места происшествия — обворованного продовольственного ларька. Зоркий эксперт обнаружил на ней отпечаток большого пальца ноги и конфисковал как вещественное доказательство. Через две недели Кивинов получил коробку назад, уже без конфет, но с заключением, что найденный отпечаток принадлежит продавцу. По строгому, но справедливому обычаю полагалось вернуть «Клюкву» в обворованный ларек, но Кивинов посчитал, что возвращать пустую коробку как-то неинтеллигентно, и бросил ее на сейф. Звонить эксперту и спрашивать про конфетки не имело никакого смысла, наверняка они самоуничтожились еще во время осмотра. Что, в общем-то, неудивительно и где-то даже правильно...

Любая операция, проводимая органами внутренних дел, имела кодовое название. Неизвестно, откуда пошла эта красивая традиция, но она прижилась и тщательно блюлась, что, кстати, очень правильно. По одежке, как говорится, встречают...

Одно дело, когда налогоплательщик слышит в утренних новостях корявое: «Сегодня в городе проводится рейд по выявлению лиц, проживающих без прописки и не имеющих вида на жительство...» И совсем по-другому звучит: «Внимание! В городе — операция „Челюсти"!»

— О-о-о... «Челюсти» — это конкретно, рисковать не стоит,— подумает услышавший, пряча в кладовку приготовленный для дела обрез,— на этой неделе не пойду. Пойду на следующей, после «Челюстей».

Однако на следующей неделе «Челюсти» сменяет «Челюсти-II», еще через неделю «Челюсти возвращаются» или какой-нибудь «Невод». Отчаявшийся товарищ все же достает обрез, но на дело идет не со спокойной и ясной головой, а трясясь, озираясь и шарахаясь от каждого постового. Откуда товарищу знать, что «Невод» проводится для отлова рыбаков-браконьеров?

Поэтому и сегодня, для поддержания традиции, было решено озаглавить намеченное мероприятие. Взгляд Волкова, опытного в таких делах, упал на кивиновскую пустую коробку из-под конфет, и через секунду предложение было принято единогласно. Теперь никто не сможет упрекнуть личный состав, что он планирует банальную пьянку. Ниче подобного. Операция «Клюква в шоколаде».

Красиво и солидно.

— Нет, я не смогу наступить на горло собственной песне! — горячо доказывал Волков.— Жрать водку в отделе — последнее дело!

— Жрать и не закусывать,— уточнил Кивинов,— а мы лимонадику возьмем, бананчиков.

— Нет, нет,— поддержал Волкова Соловец,— повод не тот. Да и действительно, отделение — не кабак. Сами знаете обстановку. Сплошная борьба с пьянством по всем направлениям. Стуканет какой удод, потом хрен отпишешься.

— Почему удод?

— Потому что птица такая есть.

— Баня — самое милое дело. На стадионе, знаете? Возьмем мясца, девчонок, пивка,— внес конструктивное предложение Дукалис.

— Каких   девчонок? — насторожился   закоренелый семьянин Соловец.

— Ну, я так... Можно и не брать. Просто я — не очень по кулинарной линии, а девчонки и салатиков порубили б, и мясцо замочили. Потанцевать обратно есть с кем. Не с Кивином же? Душа праздника просит. Ну, если не хотите... Скучновато без девчонок-то шашлык хавать.

— Перебьешься без танцев,— твердо ответил Соловец,— хотя баня — это мысль хорошая.

— Баня на стадионе, Георгич, стоит две сотни в час. Как раз наша с Толяном премия.— Волков был холодным практиком.— На халяву не пустят, даже по ксивам. Там братва парится да начальство наше. Хотите баню — вон на моей земле общая. Рубль в час.

— Иди ты...

— Может, на природу тогда? — подал очередную идею Толик.— Костерок, девчонки, озерко...

— Я не понимаю, Анатолий,— строго посмотрел на подчиненного Соловец,— у тебя подозрительно навязчивые мысли.

— Ничего в них подозрительного. Я ж не мальчишек хочу пригласить. А потом, костерок я не очень развожу, а девчонки...

— Я сам разведу. В конце концов, если тебе не хватает женского общества, можем пригласить жен.

— Ну-у-у...— хором пропели сыщики,— еще и жен в рабочие вопросы впутывать. Жен на Новый год пригласим.

— Ладно, давайте быстрее решать,— поторопил Соловец,— дел — по горло. Кто за природу?

Проголосовать не успели, в кабинет заскочил четвертый опер отделения Миша Петров со следами радости на небритом лице.

— Есть, мужики! Гуляем!

— Докладывай!

— У моего дорогого тестя в Комарово имеется классная фазенда. Трехэтажная, дворец настоящий. Полный боекомплект — сауна в пристройке, камин в гостиной, бильярд. Даже рояль на веранде.

— А кто у нас тесть?

— Да я ж рассказывал. Фирмач. Бананами торгует.

— И что ты при таком тесте среди нас, убогих, делаешь?

— У меня не очень с ним. Он Ленку, ну жену мою, хотел за сынка какого-то банкира выдать, чтоб кредиты потом по-родственному брать. Ну а тут я.

— Да, с тебя кредит вряд ли стрясешь. Какая прекрасная романтическая лав стори, я сейчас проплачусь. Любовь не купишь за бананы,— хохотнул Дукалис.

— Отставить глумление,— скомандовал Соловец.— Миша, продолжай.

— Мы с Ленкой у меня живем, я с ее батей почти не общаюсь, так, иногда, для приличия. Денег они Ленке не подкидывают, подарки дарят. Ну, это все не суть.

Вчера они в Канаду укатили на пару недель по каким-то делам. Ленка их провожала, батя ей ключи от дачи оставил, велел на выходные съездить, дом проверить да цветочки полить. Вот мы проверим и польем!

— Что ж ты раньше молчал?! — возмутился Кивинов.— Мы тут битый час головы ломаем.

— Да Ленка только что позвонила, я сам не знал. Только, самое главное, мужики, чтоб все чин чинарем, культурненько, без разгуляева. Прибраться после...

— Обижаешь, Мишель,— развел руками Дукалис,— у нас месячник высокой культуры выпивки. Все как надо будет. Девчонки и со стола приберут, и пол вымоют. Тесть еще спасибо скажет. Когда срываемся?

— Завтра с утречка лучше всего. Пока доберемся, пока накроем... Часиков в пять сядем. Вечерком искупнемся — и в сауну.

— Кстати, а кто дежурит завтра? — вспомнил Соловец.

Кивинов посмотрел на график, который висел на календаре с изображением полуголой Мадонны.

— Дьявол!

— Он по тому свету дежурит. А по отделению кто? Ты, что ли?

— Мишка!

Возникла неловкая пауза. Все понимали, что без Петрова на даче делать нечего, но предложить поменяться дежурствами ни у кого не хватало силы воли. Там же шашлычки, сауна, природа. Собственно, поменяться мог только Кивинов, без виновников торжества операция теряла смысл.

— А чего вы на меня смотрите? — Кивинов почувствовал на себе вопросительные взгляды.

— Так больше некому, Андрюша.

— Участкового можно попросить. В субботу обычно мало заяв, справится.

— Никаких участковых,— Соловец поднялся с дивана, разминая пальцами «беломорину»,— суббота субботе — рознь. Если не найдем замены, фазенда накрывается.

Вновь возникла вынужденная пауза.

— Ладно, мужики,— махнул рукой Петров,— я вас сбаламутил, мне и за базар отвечать. Езжайте без меня, отдежурю. Я вам схему нарисую, найдете. Только на коленях прошу, чтоб все нормально...

— Мишель!!! — вскочил Дукалис.— Да какие разговоры! Ты за это даже не беспокойся, языками порядок вылижем. Первый раз, что ли, гудим?

Миша, к сожалению, не знал, как коллеги гудели раньше, в связи с тем, что работал в отделении недавно, но полагался на их честное ментовское слово.

— Спасибо, старик. Мы за тебя первый тост поднимем,— хлопнул по плечу Петрова Волков.

Настроение у офицеров милиции заметно поднялось, испортить его мог только приказ об отмене выходных в связи с очередной «Челюстью».

Последние два месяца опера пахали почти без выходных, и совместный красивый отдых обещал эффективно снять накопившуюся усталость. Пьянство ради пьянства в краснознаменном коллективе не поощрялось. Душа просила праздника.

— Тогда распределяем обязанности,— Дукалис потер руки в предвкушении культурного отдыха.

Обязанности распределили быстро, по-военному. Кивинову с Волковым выпало решить продовольственную программу, Дукалис вызвался съездить к Мише за ключами от дачи и уточнить оперативные подходы, то есть дорогу. Встретиться договорились в десять часов на Финляндском вокзале, возле паровоза, на котором Владимир

Ильич Ленин нелегально пробирался из Финляндии в Россию для организации вооруженного восстания.

Соловец приоткрыл форточку, проветривая кабинет от дыма своей атомной торпеды.

— О! Принесла нелегкая! — С откровенной злостью он кивнул на отделенческий двор.— Как бы наша «Клюква» не заморозилась.

Кивинов вылез из-за стола и выглянул в окно. Да, операция могла оказаться под угрозой срыва. К парадному входу отделения подходил заместитель начальника райотдела по тыловому обеспечению подполковник Мизинцев. Несмотря на скромно звучащую должность (ну подумаешь, тыл), Мизинцев был фактическим хозяином РУВД, ведь слово «обеспечение» подразумевает прежде всего финансы, а кто с финансами, тот и командует. Мизинцев это усвоил очень четко и мог послать к чертовой матери даже начальника райотдела Головко, правда, пока за глаза. Не говоря уже о других руководителях. Начальники отделений вынуждены были прыгать перед Мизинцевым, иначе получение, скажем, новой машины могло отодвинуться на год, а то и вообще насовсем. Вдобавок ко всему тыловик обладал чудесным характером с примесью собачьего дерьма, на личный состав смотрел как деревенский барин на крепостных, за что пользовался искренней взаимностью. Головко все прекрасно видел и понимал, но избавиться от Мизинцева не мог, того прикрывали высокие люди из Большого дома, которые его в райотдел и поставили. Приходилось терпеть. Полгода назад появилась возможность скинуть зама — тот потерял всякую осторожность. Городской бюджет выделил райотделу деньги на строительство нового вытрезвителя, старый вот-вот обещал рухнуть и придавить обломками клиентов. За ходом строительства наблюдал, естественно, Мизинцев, он же распоряжался средствами. Фирма, найденная тыловиком, с задачей справилась прекрасно, возведя новое здание в рекордные сроки. Однако знающие люди стали распускать нелепые слухи, что на отпущенную сумму можно было построить как минимум еще два таких вытрезвителя. Головко попытался выяснить ситуацию, приказав принести смету и всю остальную документацию по строительству. Мизинцев нехотя подчинился. Даже неспециалисту было видно, что со всех углов прет лажа. Головко передал бумаги ребятам из БХСС и велел провести проверку. Но на следующий день в район нагрянула внеплановая комплексная проверка, работу Головко признали неудовлетворительной и предложили оставить кресло. «Вам, товарищ полковник, пошли навстречу, построили новый вытрезвитель, а вы развалили всю работу. Это есть нехорошо».

Головко все понял и приказал проверку по вытрезвителю прекратить. Никто так и не узнал, куда подевались бюджетные денежки. Чисто внешне благосостояние Мизинцева не улучшилось, если не считать смены шестой модели «Жигулей» на восьмую.

Войдя во вкус, Мизинцев принялся вторгаться в работу официально не подчиненных ему служб, в том числе и уголовного розыска. Мог для поддержания дисциплины объявить ночную тревогу или устроить в выходной день рейд по борьбе со спекуляцией спиртным. Кадровая политика также находилась под его контролем.

Никто не принимался на службу без согласия всесоюзного старосты. Соловцу капризы зама были до мягкого места, но, к сожалению, он работал в отделении не один. Любой отпор мог косвенно ударить по коллективу.

Вероятно, сейчас Мизинцев притащился в отделение не случайно, а с какой-нибудь веселенькой затеей. Обычно в пятницу он исчезал часа в четыре и появлялся только в понедельник. Особенно в летний период.

Соловец, сделав последнюю затяжку, вышел из кабинета на разведку. Вернулся через десять минут, перекрестился и успокоил оперов:

— Староста завтра от руководства по району дежурит, заезжал предупредить, чтоб начальники отделений были на местах. Дятел стриженый. Раз он работает, значит, и другие должны. Хорошо, наш Михалыч и так завтра пашет, а другим каково?

— Мишель, тебе не повезло. С таким придурком работать,— посочувствовал Волков.

— Ты, главное, на рожон не лезь,— сказал Соловец,— а на его задвиги внимания не обращай. Будем надеяться, что никаких ЧП завтра не произойдет и он вообще к нам не притащится.

— Да ничего, мужики, справлюсь. Отдыхайте, парьтесь. Я в воскресенье после дежурства на дачу подъеду, приберусь. Но все равно вы поаккуратнее.

— Тогда завтра в десять на вокзале,— подытожил Соловец,— сейчас по местам.

На пороге Миша попросил Дукалиса:

— Толик, ты если девчонок приведешь... Ну, в общем, только не в спальне тестя, хорошо? Она на втором этаже, слева от лестницы. У тестя нюх на такие вещи... Потом перед Ленкой не оправдаешься.

— Никаких проблем, старик. Абсолютно. Дежурь спокойно. Фирма гарантирует качество и стерильность. Поехали за ключами.

* * *

— Аллах подарил нам хороший день,— вдохновенно произнес Соловец, глядя на небо,— однако где Дукалис Валентинович? Паровоз уже подали, блин. Слава, сгоняй, забей места. Не хочется битый час пешком стоять.

Волков подхватил спортивную сумку и направился к электричке.

Денек и в самом деле выдался замечательным. Уже сейчас на вокзальном термометре светились две двойки, а к полудню обещали до тридцати. Легкий ветерок освежал дыхание, как «Минтон», и духоты пока не чувствовалось.

Дукалис появился за две минуты до отхода состава, когда Соловец грязно матерился вслух, привлекая внимание транспортной милиции. Следующий поезд отправлялся только через час.

Толик приехал не один. С девчонками. С тремя. Они были молоды и хороши собой. Будто шагнули на перрон со страниц эротического журнала «Работница». Одну из них Кивинов, кажется, уже видел. Во время операции «Клубника», проводимой в целях борьбы с проституцией.

— Это девчонки! — пояснил Толик, тяжело дыша и наивно полагая, что коллеги не разбираются в половой принадлежности.— Маша, Катя и Наташа. Привет, мужики. Не опаздываем?

— Еще как,— Соловец поднял с земли рюкзак и, не сказав ни слова, побежал к вагону.

— Чего он? — удивился Толик.

— Перенервничал,— ответил Кивинов.— Ты ж Георгича знаешь, он ненавидит опоздания.

— Да я сам не люблю, бегом бежал...

Через две минуты почти полный состав уголовного розыска 85-го отделения милиции раскачивался в вагоне электрички и веселил барышень-девчонок разнообразными приличными анекдотами.

«На недельку до второго мы уедем в Комарово...»

* * *

Начало операции «Клюква в шоколаде» было омрачено пустяковым фактом. Господа офицеры заблудились. Дача петровского тестя находилась не в самом поселке, а чуть севернее, где на живописных просторах раскинулись садово-ягодные участки зажиточных горожан. Штурман Дукалис, которому Миша долго объяснял, как пройти в библиотеку, то есть к месту проведения операции, крутил сейчас в руках специально приложенную схему и сравнивал ее с окружающей средой. То ли Миша давно не бывал в этих краях, то ли Дукалис держал схему неправильно, но она явно не соответствовала ландшафту. Участки протянулись не на один километр, ошибка в чертеже, с учетом масштаба, могла оказаться роковой. К тому же здесь, судя по многоэтажным особнячкам-дворцам, обитала элитная часть общества, и, чтобы добраться от одних угодий к другим, приходилось тратить по пятнадцать минут. Ни названия улицы, ни тем более номера дома Миша не помнил, а точнее, и не знал. Оставалось ориентироваться на схему и описание фазенды.

— Покурим,— Толик вытер пот со лба и бросил сумку на землю.

— Я всегда говорил, что Дукалису можно доверять серьезные вопросы. Спасибо, Анатолий, за наше счастливое пьянство,— Кивинов посмотрел вслед улетающей сороке.

— Сам бы и чертил тогда.

— Да уж лучше бы я. Тебе б, Толян, картографом работать.

— Сейчас перекурим и найдем. Вон там еще дома какие-то.

— Может, Мишелю позвонить, уточнить адресок? — предложил Волков.

— Откуда позвонить? — постучал кулаком по голове Кивинов.— Если, конечно, Анатолия Валентиновича на станцию не отправить.

Девчата не вмешивались в мужской разговор, скучали в сторонке, платочки в руках теребя.

— Ты фамилию тестя Мишкиного не спросил? Или имя?

— Зачем? — оправдывался Дукалис.— Мишка сказал, что там даже дурак найдет.

— Так то ж дурак, а у нас Дукалис. Второй час зону топчем.

— Пошел ты...

— Хватит! — вмешался Соловец.— Мы что приехали, болтами мериться? Дай-ка схему.

Георгич, не вынимая изо рта папиросу и прищурив левый глаз, принялся изучать каракули Дукалиса, чем-то напоминающие рисунок позднего Пикассо.

— Это что, дорога?

— Да. Вот озеро, мимо которого мы шли, это шлагбаум.

— А мы где сейчас? Здесь?

— Получается здесь. Вот дом на схеме.

Соловец огляделся по сторонам. На местности дом отсутствовал. Правда, метрах в ста зеленела рощица, закрывавшая обзор.

— Как дом выглядит? — спросил Георгич, пристально вглядываясь в рощицу.

— Трехэтажный, из бревен. Крыша зеленая. Веранда с роялем.

— Слав, сгоняй к деревьям. Что-то там есть вроде.

Волков, бросив сумку на траву, походкой человека, страдающего морской болезнью, устремился к роще. Спустя три минуты окрестности прорезал мощный крик радости, будто Тарзан нашел в джунглях бутылку шотландского виски. Слава размахивал руками, показывая куда-то за деревья.

— Ну, слава Аллаху,— Соловец поднял свой рюкзак и волковскую сумку,— я всегда говорил, что главное в нашем деле — не суетиться.

Дом действительно возвышался прямо за деревьями, просто чуть правее, поэтому с дороги его видно не было. С минуту опера взирали на дачу петровского тестя молча, разинув кариесные рты. Наверное, здесь не отказался бы передохнуть и сам председатель Совета народных комиссаров Ульянов-Ленин, сделав остановку во время нелегального перехода в Петроград. Что-то подобное каждый видел в книжках «Русские народные сказки». Стоит терем-теремок... Высокий сруб, резные ставни, миниатюрные витые купола, башенка, в которой, казалось, сидит царевна Несмеяна. Широкие двери, украшенные искусным чугунным литьем. Разноцветные витражи, лубочная роспись... Великолепие.

Участок был окружен металлической решеткой, наподобие той, что стояла в Летнем саду.

— Избушка, избушка, повернись к нам задом и пригнись... Выгодное, однако, дело — бананами торговать,— первым пришел в себя штурман Дукалис,— не податься ли и нам?

— На всех бананов не хватит,— Соловец толкнул изящную калитку, но та не поддалась, удерживаемая замком.— Толян, от калитки ключ есть?

— Нет, только от дома. Да так пройдем. Лишь бы забор не был под напряжением.

Он легко перелез через ограду, скатился по песчаной дорожке к веранде и припал лицом к стеклу.

— Во, рояль! Ура! Наш домишко! Давайте сюда, мужики!

Опера, воодушевленные счастливым избавлением от дорожных мук, помогли перебраться через забор девчонкам, затем перелезли сами. Толик уже стоял возле дверей, шаря по карманам в поисках ключей.

— Девчонки, вы сейчас прямо на кухню, к рабочему месту,— отдавал распоряжения Кивинов,— салатики там построгайте, картошечку поставьте... Мы на разведку местности, здесь где-то рядом озеро есть. Толян, давай быстрее, время не служебное.

— Сейчас,— невнятно пробубнил Дукалис, по третьему разу обыскивая карманы.

— Может, помочь? — предложил Волков.— Лицом к стене повернись и руки за голову. В три секунды найдем.

Анатолий Валентинович вдруг прислонился к дверям спиной и съехал на корточки. Неподдельно печальным выражением бездонных голубых глаз он походил на человека, только что похоронившего любимого хомячка.

— Все...

— Что все?..— насторожились товарищи по оружию.

— Я ключи в других брюках оставил. Утром опаздывал, ну и... Черт дернул джинсы нацепить.

После всеобщей минуты молчания слово взял Кивинов:

— Прошу отметить, мы как всегда точно угадали с распределением обязанностей. Это просто прекрасно, что мы не послали Анатолия Валентиновича за водкой. Он купил бы гарантированно чистую синильную кислоту. А ключи — такая мелочь.

— Посмотрим, что ты купил,— огрызнулся Дукалис, поднимаясь на ноги.— Подождите немножко, я сейчас сгоняю в Питер. Вы пока располагайтесь вон там, под березками, и начинайте без меня.

Только присутствие трех очаровательных созданий удержало Кивинова от трех волшебных слов.

— Два часа туда, два — обратно. Плюс непредвиденные обстоятельства, без которых не обойдется. Это называется немножко посидеть под березками. Я что, похож на подберезовик? Не, Толь, мы, конечно, посидим, да, девчонки? Но ты, извини, неправ. Будь на нашем месте конкретные пацаны, ты бы на той березе уже висел вверх ногами, а самый маленький, самый такой противный братан выбивал бы из тебя ключи своим... Даже думать больно.

— Отвали ты...

Соловец достал волшебную палочку с надписью «Беломорканал», по-жегловски дунул в гильзу. После спрыгнул с крыльца и стал смотреть на фазенду как на преступника, подозреваемого в убийстве.

— Вон, гляньте,— он указал папиросой в сторону башенки,— там, кажись, дверь приоткрыта.

Волков с Кивиновым посмотрели наверх. Действительно, небольшая дверца, ведущая с башенки внутрь, казалась незапертой. Добраться же до башенки, даже не имея альпинистских навыков, не составляло труда. Правда, парадная дверь теремка имела врезной замок, не отпирающийся без ключа, и пока было непонятно, какое преимущество давало проникновение в дом через башенку.

— Может, внутри запасные ключи есть,— как бы угадал немой вопрос Дукалис.

— Да, заодно посмотри запасные мозги.

— Хватит базарить,— осадил Соловец.— Давай, Анатолий Валентинович, искупай кровью. У тебя и опыт по небоскребам есть. Положительный.

Про небоскребы Соловец вспомнил не случайно. Неделю назад, когда Дукалис дежурил, в отделение позвонила неподдельно напуганная гражданка и доверительно сообщила, что в квартире у соседа орудуют посторонние. Группа немедленного реагирования в составе Дукалиса и участкового инспектора немедленно отреагировала и через десять минут прибыла на место. Дверь группе, как и следовало ожидать, никто не открыл, но соседка крестилась, уверяя, что видела в глазок постороннего мужика, вовсе не похожего на хозяина.

Бросать дело на самотек при такой тревожной ситуации не в обычае бдительных и добросовестных ментов, тем более в три часа ночи.

Дукалис твердо решил попасть внутрь. Если не через дверь, то через окно. Не испугал его и шестой этаж, благо напротив дома раскинулась пожарная часть с пожарными машинами. А у пожарных машин есть специальные подъемники. Договориться с огнеборцами было делом трех минут.

Еще через две Дукалис сел в люльку, сказал: «Поехали» — и взмахнул рукой.

Все, в общем-то, правильно, если упустить из виду маленькую деталь. Никаких посторонних в квартире не было, хозяин просто купил новую куртку, а сейчас спокойно спал себе в дальней комнате. А что домой в три ночи вернулся, так это свободное право каждого. Комендантский час не объявляли. Спал товарищ крепко и настойчивого звонка-колокольчика не слышал. Очнулся же он от вежливого стука в окно спальни. Интересно, что должен подумать человек, которому в полчетвертого ночи кто-то стучит в окно шестого этажа, да еще светит фонариком? Все! Ангел смерти прилетел за тобой, собирайся! Отжил!

Хозяин, крестясь ежесекундно, выскочил из-под одеяла, дополз до оконца, повернул шпингалеты и приготовился к страшному.

— Документики! — твердым, как алмаз, голосом потребовал ангел, направив луч фонарика в лицо.

— Конечно... Сейчас,— хозяин бросился к секретеру, трезво рассудив, что, прежде чем забирать гражданина на небеса, надо удостовериться в его личности. Дабы не перепутать.

Ангел придирчиво изучил паспорт. Проверил прописку, еще раз засветил фонариком в лицо и вернул документы.

— Спокойной ночи.

Люлька медленно поползла вниз.

— Спокойной ночи,— ответил хозяин, не решаясь отойти от окна. Очень может быть, что простоял он возле него до утра...

Сейчас пожарной части под рукой не наблюдалось, и Анатолию Валентиновичу предстояла редкая возможность повторить ночной подвиг. Он отошел от двери, выбрал место для старта, плюнул на ладони и лихо вскочил на дубовые перила крыльца. Оттуда, подтянувшись, вскарабкался на веранду, затем, словно Тарзан, прыгнул на крышу дачного домика. Балансируя руками в воздухе подобно канатоходцу, добрался до башенки.

— Георгич, у нас на земле кто-то уже месяц бомбит форточки зажиточных граждан. Меня терзают смутные сомнения, не наш ли это Тарзанчик-Дукалис.

Анатолий тем временем с победным криком закончил восхождение на Эверест, забравшись внутрь башенки.

— Свободу рижскому ОМОНу! — зачем-то проорал он, открывая дверь.— Встречайте меня внизу, братья!

Братья вздохнули с облегчением. Вскоре из-за двери донеслись звуки фортепьяно, из чего стало ясно, что Анатолий благополучно добрался до веранды.

— Эй, Раймонд Паулс! Ключи ищи быстрее! — Кивинов нетерпеливо дернул за дверную ручку.

Рояль смолк, и через секунду в распахнутом окне веранды показалась сверкающая от счастья физиономия Дукалиса. Хомячок воскрес.

— Дверцу подковырнуть пришлось, но я аккуратненько, Миша починит потом. Ключей не нашел, да оно и не надо. Залезайте сюда.

Внутреннее убранство теремка, в отличие от внешнего, не было выдержано в патриотических, национальных тонах. Здесь кичливо витал дух пятизвездочного капитализма. Камин, витражи, колонны, портьеры... Фонтан в виде писающего в ракушку ангела. Мебель, люстры, гобелены, ковры. Бильярд. Превосходная степень.

Маша, Катя и Наташа, повизгивая от восторга, устремились на кухню.

— Георгич, может, все-таки пойдем бананами торговать? — Дукалис склонился к фонтану-ангелу и нажал белую кнопочку у основания ракушки. Послышалось урчание, после чего ангел начал опорожняться тоненькой желтенькой струйкой. Толик подставил руку.

— Мужики, обалдеть! Шампанское! Клянусь! Этот чудик с крыльями ссыт шампанским!

— Неоригинальная идея. Такое уже было в одном фильме с Бельмондо,— спокойно отреагировал Соловец,— замкнутый цикл. Смотри, все не выпей. Вообще, давайте поменьше руки куда не надо совать. Сломаем что-нибудь, а Мише с тестем разбираться. Никакой зарплаты не хватит.

— Да я б при таком тесте,— не успокаивался Толик,— давно бы на «гранд-чероки» рулил. И в отпуск ездил исключительно на Карибы, а не в Псковскую область. Смотри, какой камин!

— Алло, гараж!!! Сказано, руками не трогать!

Толик пошел на второй этаж, не переставая восхищаться банановым бизнесом. Кивинов тем временем нашел дверь сауны, которая располагалась, как и говорил Миша, в пристройке. Как запускать в действие это чудесное изобретение финского народа, он не знал, но решил разобраться в этом позже, после официальной части. Тут же имелся маленький бассейн-бочонок, заполненный холодной водой. Все сияло чистотой и безупречным качеством исполнения. Но кроме затертого «живут же, сволочи», в голову Кивинова в настоящую секунду ничего не пришло. Хотя, наверное, хотелось выразить завистливый восторг поконкретнее.

Операция «Клюква в шоколаде», о которой так долго говорили большевики, наконец-то благополучно началась. И не было причин не выпить. Без суеты.

* * *

Солнце жгло нестерпимо. Кивинов прятался в тень, но и там жара доставала своим раскаленным дыханием. Улица была пустынна, люди укрылись в прохладных жилищах и не высовывали из них даже носа, боясь обгореть. Надо бежать к морю, окунуться в освежающую, спасительную влагу, поплескаться на ласковых волнах. Море рядом, сразу за городом.

Он побежал по пыльной улице с максимально возможной скоростью. Скорее не побежал, а полетел, ему казалось, что он не касается ступнями раскаленного асфальта. Духота резко усилилась, горячий воздух обжигал лицо. Быстрее... Вон, уже виднеется пляж. Еще немного. До воды пришлось добираться огромными прыжками, на песке запросто можно было жарить яичницу. Все-е-е... Кайф-лайф.

Он на ходу скинул рубашку, выпрыгнул из брюк и с разбега ударился о набегающую волну... Странно, вода была такой же горячей, как воздух. Кивинов решил нырнуть поглубже, вряд ли солнце достало до дна. Но увы, чем больше он погружался, тем нестерпимей становился жар. Неправильное море. Идиотизм, как здесь рыбы живут? Натуральная уха. Даже солить не надо.

На дне, в жидких водорослях, он заметил Дукалиса. Тот сидел на ракушке и пускал пузыри. Рядом валялся крылатый ангел и пустая бутылка из-под шампанского.

«Засоряют Мировой океан»,— подумал Кивинов, подплывая к Анатолию Валентиновичу.

Дукалис приветственно кивнул головой.

— Андрюха, валить отседа надо. Сгорим к чертовой матери.

— Да тут же вода, Анатоль! Почему мы должны сгореть?

— Где ты тут воду нашел?

Дукалис оттолкнулся от ракушки и поплыл в сторону берега, не сказав больше ни слова. «А может, он прав? Может, это не вода? Водка?» Кивинов, начиная задыхаться, последовал за Толиком. Но руки слабели с каждой секундой. Кивинов вдруг понял, что не дотянет до поверхности. Дукалис оглянулся на него и прокричал:

— Андрюха, давай быстрее! Андрюха-а-а-а!!! Быстре-е-е-е...

Кивинов сжал зубы и, собрав остатки сил, вынырнул на поверхность. Сразу стало необыкновенно легко. Жар пропал, оставшись на дне. Неправильное море. Все наоборот. Кивинов перевернулся на спину, лег на воду, зажмурившись. Рядом послышались знакомые голоса. Он открыл глаза и вдруг с ужасом увидел, что на него с космической скоростью падает небо...

Бах!!!

От удара Кивинов очнулся, по спине растекалась тупая боль. Он лежал на траве, совершенно не понимая, что происходит. Память прокручивала в голове обрывки вчерашнего дня. Вернее, не память, а то, что от нее осталось, ибо Кивинову казалось, что за него вспоминает кто-то другой.

...Электричка, затяжная прогулка по Комарово, забытые ключи, первый тост, купание в озере, шашлык, водка, еще водка, опять водка, танцы, сауна... В сауне было очень жарко, а Дукалис все прибавлял и прибавлял. Снова чуть-чуть водки... Диван, спящая девчонка, южный курорт, жара, море... Удар, боль.

Кивинов приподнял голову. Увиденное им зрелище напоминало сцену из замечательного отечественного блокбастера «Война и мир», запечатлевшую пожар в столице-матушке Москве. Только вместо Пьера Безухова на фоне пылающего дома носился Анатолий Валентинович Дукалис. Рядом размахивал руками Волков. Шум огня заглушал их голоса, но обрывки фраз достигали ушей.

— ...Холодно, холодно... У нас в Риге, у нас в Риге... Довы... Иди теперь, грейся!!!

— Да это Георгич со своим «Беломором»! Бросает хабарики... А много ли надо?.. От сауны не могло.

— Один черт — задница!!! Во — Кивинов очнулся.

Кивинов действительно кое-как поднялся на ноги и обхватил руками стоящую рядом березку.

— Чего это? — Он сумел кивнуть на горящий дом.

— В двух словах — это абзац! — ответил Дукалис.— Хорошая у Мишкиного тестя была дача.

— А Георгич где? А девчонки?

— Георгич на станцию побежал пожарных вызывать. Только пожарным тут уже делать нечего, кроме составления протокола... Девчонки вон, возле забора.

Кивинов повернул голову. Катя стояла и курила, Маша и Наташа лежали на траве.

— Живы? — прошептал Кивинов.

— Типун тебе на язык. Я их первых на себе вытащил. Все-таки женщины. Тебя, дурака, последним. Неужели не чувствовал ничего?

— Курорт снился, море.

— Будил-будил... Понял, что без толку, на спину загрузил. Как ты?

— Никак... Спина болит.

— Извини, дверь-то закрыта, пришлось тебя из окна десантировать. Да, чувствую, скажет нам Мишель большое человеческое спасибо. Особенно Георгичу за его «Беломор».

— Георгич тут ни при чем,— вновь затеял спор Волков,— это сауна загорелась. Ты прикинь, Андрюха, сидим, паримся, нормально все, а Анатолию Валентиновичу все холодно. Добавляет и добавляет. Вдруг дымом потянуло из дверей.

— А я?

— Ты уже отвалил спать вместе с Наташкой. Машка тоже отключилась на веранде. Георгич в предбаннике притулился с Катькой. Мы на улицу выскакиваем, матерь божья — задняя стенка сауны горит! Попытались водой из бассейна затушить, да какое там! Мудак этот петровский тесть, бабок на кирпич пожалел. Пока бегали туда-сюда, огонь на крышу перекинулся. Вас вот еле вытащить успели.

Кивинов снова опустился на землю. Огонь уже бушевал на веранде. С противным треском от крыши оторвалась башенка и, объятая безжалостным пламенем, рухнула вниз. Стаи искр то и дело взлетали к небу, словно праздничный фейерверк в честь новых офицерских званий. Жар огромного костра обжигал тело, но еще больше душу.

Вспомнился Макаревич. «Все отболит, и мудрый говорит — каждый костер когда-то догорит...»

— Представляешь, Андрюха,— вдруг рассмеялся Дукалис,— я ключи нашел! Они за подкладку завалились. Зря только двери ломал.

— Да, обидно,— прошептал Кивинов и закрыл глаза.

Вернулся Соловец. Едва держась на ногах, он прислонился к березе и попросил попить. Чувствовалось, что поход на станцию дался ему нелегко. Глотнув воды из протянутой ему пластиковой бутылки, он достал из кармана мятую пачку папирос и мрачно произнес:

— Вызвал. Сейчас приедут, потушат. Зажигалку дайте.

В эту секунду в доме что-то впечатляюще рвануло, и к ногам Георгича упала тлеющая головешка.

— Какие будут предложения? — безжизненным голосом спросил он, прикуривая от головешки.

— Домой ехать да явку с повинной писать,— Волков вытер лицо рукавом, оставив черный след копоти на щеке,— чего тут ждать? Все сгорит без нашей помощи.

— Интересно, сколько этот теремок стоит?

— Без внутренней отделки и мебели тонн в пятьдесят уложиться можно. При большом желании и сильной экономии.

— Без посторонней помощи к пенсии не рассчитаемся,— прикинул Дукалис.

Кивинов поднес к глазам циферблат часов. Шесть утра. Самый сон. Упасть бы на травку, закрыть глаза и снова очутиться на курорте. А проснуться на мягком диване в комнате, увидеть смеющихся друзей и понять, что это был не более чем кошмар. Кивинов зажмурился, но рядом с головой просвистела еще одна выстрелившая из дома головешка, и он мгновенно очнулся. Увы, кошмар происходил наяву.

— Отступаем,— скомандовал Соловец, заслышав завывание пожарной сирены,— не фиг тут отсвечивать...

В электричке Дукалис сунул более-менее пришедшему в себя Кивинову ключи от догорающей дачи:

— Передай Мише. Подготовь его сначала. Намеками как-нибудь...

— А почему я?

— Судьба. Ты дежуришь.

— И как, извини, я его подготовлю? — Кивинову абсолютно не улыбалась роль счастливого гонца-вестника.

— Ну, расскажи, к примеру, как однажды забыл утюг на столе и чуть не спалил квартиру. И плавно перейди к даче. Но сначала обязательно спроси, сдал ли Миша пистолет в дежурку?

— Сам и спрашивай,— буркнул Кивинов, но ключи взял.

— Вместе скажем,— сказал Соловец,— часиков в десять подтянемся к отделу и все объясним. Как быть дальше, подумаем после. На крайний случай разменяем квартиры. А что делать?

— Да, отдохнули... Клюква, блин, в шоколаде...

Кивинов поехал прямо с вокзала в отделение, остальные успевали заскочить домой и привести себя в относительный порядок. До назначенного срока оставалось минут сорок, Кивинов решил незаметно проскользнуть в свой кабинет и залечь на диван. Главное, не попасть на глаза Мише раньше времени.

Но мечтам не суждено было сбыться. Миша сидел не в своем кабинете, как предполагал Кивинов, а стоял возле окна в дежурной части, болтая с участковым.

Он заметил шатающегося коллегу и поспешил ему навстречу, радуясь, что тот не опоздал на службу и сменил его вовремя.

— Ну, как отметили? — Петров, улыбаясь, протянул руку вошедшему в отделение Кивинову.

Кивинов вздрогнул, но по инерции руку пожал.

— Славно,— едва слышно промычал он, боясь поднять на Мишу глаза.

— В баньке попарились?

— До опупения.

— Банька у тестя атомная. Я тоже чуть не угорел. Слушай, я тогда полетел, а? Тебе Толян ключи не передал случайно?

— Да, вот,— Кивинов протянул Мише ключи.

— Отлично. Я прямо туда и рвану. Вы там не очень порезвились? Мебель-то цела?

Наверное, это был самый подходящий момент для оглашения благой вести, но, глядя на счастливое Мишино лицо, Кивинов сказать правду не решился.

— Цела,— кивнул он.

— Я все равно приберусь, чтоб, как говорится, комар носа... Здесь сутки тоже нормально прошли. Две кражонки всего. Мелочовка, на отказники. Мизинцев, правда, достал. Чтоб еще раз с этим козлом дежурить пришлось!.. Приезжал, строил тут всех. Чуть общий сбор не объявил. Пришлось бы мне за вами в Комарово ехать.

«Лучше бы объявил»,— подумал Кивинов.

— Все, Андрюха, бывай. Там у меня кофе остался, если хочешь, попей, а то видуха у тебя несвежая. А еще лучше запирайся в кабинете и отсыпайся, пока заявителей нет. Пока.

— Пока,— ответил Кивинов и вдруг вспомнил про общий сбор в десять часов.— Миш, погоди...

— Чего?

Кивинов прокашлялся.

— Где кофе-то у тебя?

— В тумбочке, на верхней полке. Кабинет после захлопни.

— Хорошо.

Кивинов доковылял до своего кабинета, открыл дверь и с порога упал на скрипучий диван. Потом перевернулся на спину, уставился в потолок и стал прикидывать, каким образом будет разменивать свою комнату родительской квартиры.

* * *

Утром следующего дня Кивинов сидел в кабинете за столом и тупо ждал своей участи. Соловца еще не было, Дукалис с Волковым пришли и находились у себя. Вчера, как и условились, все участники операции, кроме девчонок, подгребли к отделению. Узнав, что Миша уехал, навтыкали Кивинову и договорились, что, если Петров вернется, немедленно дать знать.

Петров вчера не вернулся. Кивинов нашел этому факту лишь два разумных объяснения. Либо Миша заработал обширный инфаркт и был доставлен в госпиталь, либо надрался с горя до беспамятства. Ведь он даже не позвонил!

Сутки прошли относительно спокойно. До часу дня Кивинов отсыпался, затем разбирался с кражей велосипеда, после опять отсыпался. Ночью прокатился в общагу, где один работяга несильно ткнул другого ножом в почку.

В коридоре послышались шаркающие шаги, звон ключей. Миша... Значит, не инфаркт. Кивинов собрался с духом, про себя вспоминая хоть какую-то молитву.

Ничего, кроме матерных оборотов на эротическую тематику, в голову не лезло. Миша открыл дверь своего кабинета, через минуту заглянул к Кивинову.

— Привет, Андрюх. Ты чего тумбочку не запер? Знаешь же, что у нас крысы.

— Крысы? — заторможенно переспросил Кивинов, совершенно опешив от того, что человек, у которого сгорел дом, интересуется какой-то тумбочкой. Самое малое, чего ожидал Кивинов, так это получить по роже.

— Ну конечно. А в тумбочке песок, сухари... Как отдежурил?

«А может, он не ездил на дачу,— вдруг догадался Кивинов,— и просто ничего еще не знает?!»

— Нормально, Миш. На твоей земле кража велосипеда.

— Велосипедами Волков занимается.

«Спросить или не спросить? Вот в чем вопрос».

Кивинов от волнения принялся выстукивать носком ботинка мелодию ламбады.

— А я сгонял на дачу, прибрал там все. Вы молодцы, почти не насвинячили. Я только колготки ажурные под кроватью у тестя нашел, девчонки, наверное, забыли. Красного цвета. Теща такие вряд ли носит. Я ж Дукалиса как человека предупреждал, чтоб только не на койке тестя. Или, может, Славка?

— Может,— в эту секунду Кивинов был похож на Робинзона, увидавшего над головой реактивный самолет.

— А так все нормально. В следующий раз, когда тесть за бугор свалит, можно еще разок оттянуться. Ленка мне просигналит.

«Кто-то из нас двоих немножко сошел с ума».

— Да! — громко вскрикнул Петров, что-то вспомнив.— Прикол хочешь? Вчера ночью там, в Комарово, пожар был. Не где вы гуляли, а на другом конце. Дача дотла сгорела. Я на велик сел, прокатился посмотреть. Домик солидный был, такой же, как у тестя, если не круче. Я его видал до пожара. Теремок. Подъезжаю — блин, а по пепелищу Мизинцев ползает! Зеленый, как помидор недозрелый, и контуженый от радости. Я его голосок за километр услышал. Будто ему батарею на ногу уронили с пятого этажа. Это его дачка, оказывается! Я всегда говорил — Бог правду видит. Стало быть, вот куда денежки с вытрезвителя ушли. И не только с вытрезвителя. У него там даже статуя мраморная была. Ангела с крыльями.

— И с шампанским,— подсевшим голосом добавил Кивинов.

— Каким шампанским?

— Что?.. А, шампанским? Это я просто так... Навеяло.

— Я, Андрюха, человек не злорадный, но правду тебе скажу — порадовался от души. Если это поджог, то я б добрым людям коньяка выкатил и руку пожал. Мизинец, я думаю, даже не заикнется, что у него такая фазенда имелась, потому как сразу много всяких вопросов возникнет.

— Да, наверное...

— Во, Георгич пришел. Идем на сходку.

Миша исчез из кабинета. Кивинов с минуту не двигался, затем протянул руку, достал коробку из-под конфет, посмотрел на аппетитный рисунок клюквы в шоколаде, громко хохотнул, разорвал картонку и, выкинув ее в ведро, пошел следом за Мишей.

Наверное, это все-таки был сон.

КАРАМЕЛЬ

Жора влетел в мой кабинет, как метеорит в плотные слои атмосферы. По обыкновению шарнув дверью по стенке. Дверь отрикошетила и захлопнулась на «собачку».

— Андрюхин, брат! Выручай! У меня кризис!

У Жоры все время кризис. По причине кризиса в голове. Кризисная натура. Ничего не успевает, потому что хочет успеть везде.

— Что такое?

— Не разорваться. Свалилось все в кучу... Короче, пару недель взад барыга один с заявой притащился. На него накатывает команда одна. Вроде карагандинские. Ну, как обычно — бабки трясут. Долг якобы какой-то. Никакого долга наверняка нет, «крышу» просто хотят поставить. Я ему — давай, мужик, забивай с ними «стрелу», мы подкатим, всех повяжем, больше наезжать не будут.

— И что?

— Вот барыга, блин, и позвонил сейчас. Хоть бы вчера, я б день спланировал. Забил он «стрелочку» на сегодня, на пять вечера. Через два часа то есть. А меня в четыре заслушивают в Главке. По старому «глухарьку». Как хочешь, а надо быть там, иначе пробки мне выкрутят, светиться не буду. Барыга «стрелочку» уже перебить не может, боится, что братаны подвох унюхают.

— От меня-то чего хочешь?

— Сгоняй с ним. На «стрелку». Под видом братвы. Тормозить никого не надо. Просто пальцами помахай, погундось, попонтуй и отвали.— Жора запнулся.— Нет, не просто отвали. Перебей им «стрелу» на...— Он взглянул на календарь.— Во, на следующий четверг. Я их тогда сам возьму...

Жорина простота когда-нибудь доведет меня до инсульта. Самое обидное, что, если я отправлю Жору в заоблачную даль вместе со всеми его заморочками, он туда не пойдет. Пойдет канючить к начальству, а начальство все равно бросит на фронт меня. И слушать не будет никаких встречных аргументов. Шагом марш на «стрелку». Лето, народ гуляет по дачам. В отделе три опера. Я, Жора да Борька, который харю сейчас давит после ночного. Спасибо, Жорик.

— А барыга-то что говорит? Почему на него наехали? Жора морщится:

— Да не помню я... Дел других по горло, поди уследи за всем. То ли он кому-то должен, то ли ему... Короче, там кто-то кого-то кинул... Теперь «терки» из-за бабок. Да тебе-то какая разница, ты щеки надувай да пальцы гни. Потом разберемся.

— И где барыга встретиться договорился?

— На берегу Стремянки. Прямо за мостом. Знаешь, там свалка еще?

— Где и похоронят. На свалке. Или утопят. Простой ты, Жорик, как граненый стакан.

— Ну че ты сразу? Первый раз будто. Я не виноват, что барыга бестолковый такой. Я ему раз десять сказал, чтоб в людном месте.

— Да я не о том...

— Барыга прямо туда подтянется, ему уже не перезвонить. Прикинь, если не прикроем?..

— Да ничего с ним не случится. Пока бабки с него не стрясут, мочить не будут.

— Все равно несолидно. Обещали помочь...

— Не обещали, а обещал.

— Так если б не заслушка...

— Тогда бы заглушка. Я сегодня тоже не свободная личность. Свои «стрелки» и «терки». Ферштейн?

Жора окончательно пал духом:

— Вот всегда так. Только на пьянках кричите: «За коллектив — за коллектив!» — а как на деле... Пошли вы...

Я понимаю, что ехать так или иначе придется, и тратить время на полемику не хочу.

— С тебя «Пепси». Лучше дагестанского разлива. Только натуральное.

Жора нехотя соглашается:

— Ладно, хотя по понятиям...

— И второе,— перебиваю я «понятливого» человека,— один я туда не попрусь.

Жора делает успокаивающий жест руками:

— Насчет этого не волнуйся. Народ я найду. Двоих хватит?

— Хватит.

— Все, заметано! Я их к тебе подгоню. Запомнил, где «стрела»? В пять возле моста. Барыгина фамилия Ильин. Он лысый такой, лет тридцать. Не ошибешься.

— Не ошибусь. Ты тоже с «Пепси» не ошибись.

Жора кивает и, поворачиваясь к дверям, пытается открыть замок.

— Против часовой стрелки,— подсказываю я.

Жора растерянно замирает, потом показывает циферблат своих часов:

— Андрюхин, а у меня электронные...

До назначенного Ильиным часа остается пятнадцать минут. Мы мчимся на предельной скорости, чтобы не опоздать. Предельная скорость нашего скакуна составляет сорок пять километров в час, и ни километром больше.

Скакун тысяча девятьсот пятьдесят пятого года выпуска под громовым названием «Победа» принадлежит инспектору по делам несовершеннолетних Вадику Белоглазову, который и лавирует сейчас, подрезая всякие «мерсаки» и «тойоты». Вадику двадцать четыре года, у него высшее педагогическое образование, скоро год, как он работает в нашем отделе детским инспектором. Внешне он чем-то напоминает французского актера Пьера Ришара. Такой же длинный, неуклюжий, с большим носом и рыжими кудрявыми патлами, которые он иногда заплетает в косичку. «Победа» досталась ему в наследство от папашки, а тому — от его папашки. Вадик покрыл тачку матовой краской темно-малинового цвета, что делает честь его вкусу.

— Фонарь сними,— подсказывает сидящий сзади участковый инспектор Вася Рогов.— Подъезжаем.

Вадик высовывает руку в окно и убирает с крыши «Победы» мигалку на магните.

Рогов — третий участник нашей супергруппы. Ему тридцать пять, он маленького роста. Очень уважает «Пепси», отчего его лицо походит на маринованный огурчик третьей категории свежести. Облачен Василий в серый пиджачок с кожаными заплатами на локтях, мятые брюки и летние сандалии.

Вадика с Васей сгоношил Жора. Других боеспособных единиц в отделе не оказалось. Жора сгоношил их, разумеется, не лично, а, как я и предполагал, через шефа, то есть в приказном порядке. С транспортом, по обыкновению, не повезло, но Вадик любезно предоставил свою «Победу», выклянчив у шефа червонец на бензин.

Лично я перед миссией переоделся в дежурный спортивный костюм, в котором обычно езжу на задержания и играю в футбол. Костюм староват, штаны в районе коленей провисают, но это мелочь, я не на свидание направляюсь.

На шею повесил огромный крест на веревке, хранящийся в моем столе, на палец нацепил латунную печатку в виде черепа с костями. Иных ювелирных украшений в коллекции пока не имеется, надо будет срочно провести пару обысков у зажиточной части населения.

— Вадик, у тебя пакета нет какого? — Вася дышит вчерашним выхлопом нам в затылок.— Мне вот положить.

Он демонстрирует пол-литровую бутылку водки «Синопская».

— Нету. Да ты брось на сиденье, потом заберешь.

— Господа, у вас, кстати, стволы есть? — задаю я вполне уместный вопрос.

— А что, надо было брать? — переспрашивает участковый Рогов.

— У меня вообще нет ствола. Не полагается,— спокойно ставит в известность детский инспектор Белоглазов.

Понятно. Самое стремное, что я тоже без оружия. Забыл в суете сует. В связи с хорошим настроением. Теперь оно совсем хорошее.

Вадик открывает бардачок, достает жестяную коробочку с леденцами. Карамель.

— Угощайтесь, мужики.

Только и остается, что карамель сосать. Асфальтовое покрытие закончилось, пошло бездорожье. Вадик не смущается и смело гонит «Победу» вперед, к победе. До моста метров триста, можно, в принципе, и пешочком прогуляться, но, в конце концов, мы авторитетная команда или кто?

— Чего там за базар-то намечается? — интересуется боевой задачей Василий.

— Понятия не имею,— отвечаю я как старший экспедиции.— Встречаемся с какими-то карагандинскими и отбиваем барыгу. Отбивать придется мне, вы с Вадиком на подхвате.

— А почему карагандинские? — уточняет Вадик.

— Карагандинское преступное сообщество называется так потому, что их лидеры родом с Вологды.

— А-а-а...

Проехав сотню метров, мы видим припаркованный джип, пару «японок». Вероятно, это транспорт наших будущих оппонентов. Дальше от дороги остается одно название, и братишки, видимо, не рискнули испытывать прочность подвесок своих «королей автострад». За рулем джипа оставлен наблюдатель, внимательным взглядом встречающий нашу «Победу».

— Жми на тормоз,— командую я.— Надо переписать номера.

Не успеваю я записать первые три цифры в блокнотик, как раздается вежливый стук в боковое стекло. Рядом с машиной возникает гражданин в темно-малиновом комбезе с такого же цвета кепочкой на голове.

— Господа, здесь платная стоянка. Бесплатно только пять минут.

— Мы уложимся.

Я дописываю цифры и делаю знак Вадику. Тот врубает передачу и, не обращая внимания на пересеченную местность, направляет «Победу» к берегу. До «стрелки» три минуты, а опаздывать согласно ихнему кодексу чести не принято.

Карагандинские уже прибыли на «терку» и ждут нас, сидя на бревнах, сваленных возле берега. Этот барыга Ильин отличное место выбрал. Сие чувствуется особенно остро, когда под мышкой нет «смертельного» оружия.

Братанов пятеро. Возможно, есть еще парочка замаскированных. Наверняка. Но отступать поздно, да и бессмысленно. Жертвы разводки, то бишь Ильина среди карагандинских не видать. Заслышав рев нашего малинового вездехода, участники переговоров дружно поворачивают головы и поднимаются с бревен. Операция «Карамель» начинается.

— Все, дальше не могу,— Вадик глушит движок перед бревном, метрах в тридцати от места высадки десанта.— Бездорожье.

Я рассматриваю группу. У них три костюма против моего и два вишневых пиджака против Васькиного серого. Вадик вообще в расчет не берется. Приехал на официальное мероприятие в футболке и шортах. Шорт-мен.

Я расстегиваю куртку, обнажая крест на веревке, бросаю в рот еще один леденец и командую: «Пошли». Хотя вылезать из «Победы» очень не хочется. Даже чувство долга не помогает.

Дверь открывается со скрипом, похожим на крик раненой выпи на болоте. Назад не закрывается, что-то с замком.

Мы выстраиваемся в колонну по одному. Я как старший, можно сказать как бригадир, как Гайдар, шагаю впереди. Следом Вася. Замыкает шорт-мен Вадик. Вася прижимает правую руку к туловищу, согнув ее в локте.

— Ты чего? — шепчу я.

— Да опасно пузырь в машине оставлять, упрут еще. А пакета нет.

Я догадываюсь, что Вася прячет под мышкой «Синопскую». «Она мне душу согреет, когда на пули бандитские пойду».

Тактике проведения «терок» на «стрелках» в школе милиции не обучали. Может быть, напрасно. Как себя на них вести, я понятия не имею. В нашей-то системе все просто: «Руки в гору — мордой в землю». А здесь скажи такое — тут же бревном заработаешь. Как они друг друга приветствуют? Не кланяются же, как дворяне...

А, инстинкт подскажет.

Они не двигаются навстречу, ждут, когда мы подойдем поближе. Значит, борзые.

Я вычленяю старшего. Инстинкт подсказал. Крепыш в пиджаке, с физиономией голодного бульдога. По человеко-килограммам наша группировка тоже явно уступает. Раз в шесть. Я смотрю только на их бригадира, на остальных смотреть как-то неприятно. Неловко.

— Здорово, пацаны,— «бульдог» сжимает в окольцованных пальцах мобильник с торчащей антенной.

У меня мобильника нет, надо было хоть рацию у постовых попросить, для приличия. Я поворачиваюсь к своим «пацанам». Вася сует руку под пиджак и возвращает на место чуть не выпавшую «Синопскую». Вадик чешет свой длинный нос.

Что отвечать, я не знаю. А когда не знаешь, лучше промолчать. Я и молчу.

«Бульдог» прячет мобильник в карман.

— Кто старший? — Я все-таки начинаю переговоры.

«Бульдог» отступает в сторону, на сцену выходит мерзкий тип в кожаной жилетке и тупорылых бутсах. Лицо радиусом в кирпич, кулаки — вполкирпича. И то и другое круглое, гладкое и крепкое.

— Я старший. А вы кто?

— Мы свологодские,— никакое другое название мне в башню не лезет. Карамель виновата, вкус отшибла.— Я бригадир. Наш пахан Вася Рогов. Слыхали?

«Жилетка» смотрит на «бульдога». Тот едва заметно утвердительно кивает. Я оборачиваюсь к своим. Вадик сместился в сторону, спрятавшись за врытую в землю сваю. «Пахан» Вася позицию не покинул, прикрывает мне спину.

«Жилетка» растопыривает пальцы в стороны:

— Ну что, братва, как барыгу разводить будем?

Вопрос задан конкретно мне. И отвечать на него должен конкретно я. Хорошо бы знать что. Конкретно. На этот вопрос даже Жора вряд ли ответил бы, а я уж и подавно. Но отвечать надо.

Я вытягиваю мизинец в направлении «жилетки».

— Тут вам ловить не фиг. Это наша корова, мы ее и будем доить.

Про «корову» я где-то слышал и вовсе не претендую на авторство.

Чувствую, как за спиной «пахан» Вася опять поправляет свою бутылку. Идиот, не мог в машине оставить, кому она там нужна?

— Да,— коротко подтвердил из-за сваи Вадик.

«Жилетка» насупилась, слегка стушевавшись.

— Не, мужики, подождите. Барыга неправ откровенно. Он же башли Вовану когда обещал вернуть? Ни хера не вернул, да еще под ментов подставил. Так не делается. Не по понятиям.

Про Вована я, разумеется, знаю ровно столько же, сколько и про размножение однодольчатых в неволе.

— Вован в «Крестах», а этот козел в «Астории» жрет.

Вероятно, опять настает момент для моей реплики. Иначе не солидняк. Отвожу мизинец на левой руке.

— Я че, неясно сказал? Это наша корова, мы ее и доим.

— Да,— вновь соглашается из-за сваи Вадик.

Вася в очередной раз сует руку за пазуху, поправляя свой чертов пузырь.

Карагандинские нервно переглядываются. Кажется, я делаю что-то не то. Как бы, уроды, стрелять не начали. Пропадем тогда.

«Жилетка» сует руку за пазуху, у меня перехватывает дыхание. Я вращаю зрачками в поисках тропинки для отхода. Тропинки нет. Попали!

«Жилетка» достает свернутую бумагу. Фу-у-у...

— Вот, мужики, расписка. Пятьдесят процентов до мая, пятьдесят после. Барыга в оборотку пошел, Вована, как лоха, кинул, бык. Вован нам «маляву» заслал, чтоб башли все равно стрясли. Барыга думает, раз Вован в тюряге, значит, и миру — мир. Вы же видите, что неправ он. Давайте цену накинем за гнилой базар. Чтоб и вам хватило, и нам. Пусть платит. Чисто по жизни.

После столь длинного монолога должен последовать такой же длинный ответ. Жорик, бестолочь, не мог у Ильина спросить, на что его тут разводят. Выкручивайся теперь за него как знаешь. Зло берет.

— Короче, так. Это наша корова, мы ее и доим!

А что еще говорить? Не Маяковского же им читать! Жорик и этого не сказал бы.

— Да,— Вадик полностью меня поддерживает за сваей.

Пора сваливать. Ксивы для конспирации оставлены в отделе, и, начнись сейчас заварушка, нечем будет даже прикрыться.

А заварушка, судя по реакции карагандинской братвы, вот-вот начнется. У «бульдога» уже слюни текут.

Вася едва успевает удержать под мышкой выпавшую в очередной раз «Синопскую».

— Не, братва, ну давайте «стрелку» перебьем, что ли? Пускай ваш пахан подъедет, мы своего подтянем. Неужели из-за этого мурла не договоримся? — делает шаг навстречу «жилетка».

Я растопыриваю пальцы, отступать некуда, позади — «пахан».

— Никаких разговоров! Слышали, наша корова. Цурюк.

— Да.

«Да» почти шепотом выдавил Вадик. У Васи снова конфуз с бутылкой.

Все, надо валить. Иначе завалят нас. Задание было перебазарить. Перебазарили.

Я выполняю команду «Кругом!». К «Победе» возвращаемся в обратной последовательности. Впереди — шорт-мен, следом — «пахан», последним — я. Если начнут стрелять...

Не начали. «Жилетка» что-то пытается объяснить нам вдогонку, но мой слух озабочен другим — проблемой вовремя уловить передергивание затворов. Глаза видят только заплатки на Васином пиджаке.

«Победа» заводится с третьего раза, Вадик выруливает задом. Василий раскупоривает свою «Синопскую», делает жадный глоток из горла:

— Пересохло. Будете, мужики?

— Да,— отвечает Вадик и протягивает руку. Заклинило у парня.

Я тоже не против. После этой дурацкой карамели во рту все слиплось. Не люблю я сладкое, если честно.

Неделю спустя Жора накрыл карагандинскую бригаду. Ту самую, с которой мы «терли». Потерпевший Ильин перезабил «стрелку», Жора нанял ОМОН, и братву повязали.

Часов в пять я случайно заскочил к Жоре отдать бумаги. В его кабинете, спиной к выходу, сидела «жилетка» и что-то увлеченно объясняла Жоре. Меня братан не заметил, и я присел на табурет у двери, решив немного послушать.

— Да что вы этого барыгу слушаете? Он только здесь козлика белого из себя строит. «Крыши» у него нет, как же! Про своло́годских слыхали? Про беспредельщиков? Вася Рогов у них пахан, полгорода их боится. Мы с ними неделю назад «стрелку» забивали. Полный атас. Вообще говорить бесполезно. Притащились трое, прикиды у всех — чумовые. Базарил только один, не основной. Пальцы гнул, на шарнирах весь, в «Адидасе» турецком. Ничего слушать не хотел. Основной в сторонке стоял, на Пьера Ришара чем-то похож, рыжий такой. Кивал только. А третий, чувствуется, законченный отморозок, я только рот открываю, он сразу под мышку, за автоматом... Тачила у них крутая, типа броневика, я такую в городе ни у кого не видел, даже у барыг серьезных. Так что зря вы на нас грешите, товарищ лейтенант, мы хоть с понятиями. А Ильина эти беспредельщики прикрывают...

Через час я столкнулся с Жорой в коридоре.

— Андрюхин, ты случайно про своло́годских не слыхал? Команда такая. Вася Рогов у них авторитет.

Я не осуждаю Жору. У него был нелегкий день.

— Нет, не слыхал.

— У меня информация есть на них кое-какая...

Жора в задумчивости исчезает за поворотом коридора.

Знаете, что больше всего меня огорчило в этой истории? То, что за «основного» приняли этого шорт-мена Вадика. С чего, интересно? Я понимаю, «Синопскую» с автоматом немудрено перепутать, но здесь?.. Потому, что он свою липкую карамель постоянно сосет? Или потому, что на Ришара похож?

Ей-богу, обидно. До слез.

КАРАМЕЛЬ-2

«„От сумы и от тюрьмы никто не застрахован",— говорят в народе. Мы согласны с первым, но со вторым готовы поспорить. Страховая компания „Общачок-лимитед" предлагает Вам свои услуги на случай неожиданных проблем!

Застраховавшись у нас, Вы в случае упомянутых неприятностей получаете бесплатного адвоката, передачки в течение срока следствия, хорошо проветриваемую камеру с телевизором и прочие удобства. Кроме того, предусмотрено медицинское страхование, позволяющее получить компенсацию за телесные повреждения, нанесенные Вам сотрудниками правоохранительных органов при Вашем задержании.

Страхуйтесь у нас и помните: Ваше спокойствие завтра — наша забота сегодня. Страхуйтесь смело — и вперед, на дело!»

От ознакомления с рекламной информацией меня отрывает Жора, ворвавшийся в кабинет гордым буревестником. Словно молнии подобным. Как всегда шарнув дверью и швырнув на стол блокнот-«склерозник», он начинает исполнять чей-то национальный танец. Я сворачиваю газету и наслаждаюсь зрелищем. Минуты через две, насладившись как следует, спрашиваю:

— Что это?

Жора прекращает хореографию, падает на стул и отвечает:

— Греческий танец сузуки.

— Сиртаки,— поправляю я.— Что за праздник, спрашиваю? Тринадцатая?

Жора трет руку об руку:

— Андрюхин, у меня информация центровая проскочила! Налет на хату банкира помнишь? Что в Бестолковом переулке?

— Где бабулю чпокнули?

— Да! Мамашу банкирову! Шмоток там ушла гора! Но главное, банкир обещался в случае поимки убийц мамашкиных подарить джип... «Сиртаки»!

— Как раз здесь «сузуки»,— еще раз поправляю я.— А кому подарить-то?

— Тому, кто поймает, конечно! Я своих людишек подзарядил на это дело, и вот — сработало! Я теперь, Андрюхин, твердо знаю — такие дела только так и надо поднимать. А на всякой дедукции не то что до тринадцатой, до первой зарплаты не дотянешь.

— Так ты что, поймал убийц?

— Почти! Короче, отзвонился мне сейчас человечек. Так и так, пил он вчера в одной компашке. Был там среди прочих марамоев некий Гришка Людоед.

— Людей ест?

— Нет. Кличка такая. Фамилия — Носорогов. Я установил. Так вот, этот Людоед хлестался, что знает орлов, которые бабку в Бестолковом переулке шарахнули. Приметы точно описывает: один — большой, второй — маленький, прихрамывает чуток. Прикинь, конкретно! Все в тему!

— У нас что, есть приметы убийц?

— Конечно! Обход же делали, тетка одна рассказала, как из бабкиной парадной двое выползали. Большой и мелкий. Мелкий хромал! Горячо, горячо, Андрюхин!

— А с чего Людоед базар про бабку завел?

— Так я ж объясняю, человечек мой тоненько, тоненько к этому подвел. «Мужики, не знаете, кто бабку в Бестолковом мочканул?» Людоед и отозвался. Стало быть, осталось нам Носорогова отловить, политику партии объяснить, и считай, джип стоит перед окнами! Чур, я первый катаюсь.

— Если, конечно, Носорогов тебе все расскажет.

— Есть у меня метод против Гришки Людоеда! — еще более пылко восклицает Жора.— В розыске федеральном он числится за целую кучу подвигов. Я его отлавливаю и так же тоненько намекаю — сдавай ребят, и я тебя не видел. Сдаст со слезами радости на глазах! А отловить его можно в ночном клубе «Заветы Ильича». Ильич — отчество хозяина. Там Людоед по четвергам в рулетку да покер режется, бабки воровские просаживает. У нас сегодня как раз четверг. Я хочу под видом игрока туда втереться, Людоеда срисовать и прямо за столом накрыть. Или на выходе. Он, гад, осторожный, если с ксивой в клуб сунуться, ему тут же отстучат. Поэтому придется под игрока косить.

— Деньги-то есть?

— Какие деньги?

— Ну, играть-то ты не на патроны будешь.

Жора сосредоточенно думает, а следовательно, напрашивается мысль, что денег нет. Мысль подтверждается следующим вопросом:

— А у тебя?

У меня есть, но Жоре не дам.

— Нет, ты ж знаешь.

— Черт, как-то я из виду это упустил... А просто так нельзя за рулеткой посидеть?

— Подозрительно.

— Верно... О! — окрыленно вспоминает он.— Чего ж я башню-то ломаю?! У меня ж в сейфе пятьсот баксов лежит! Изъятых. Их только через неделю отдавать. Я их в долг и займу. А повезет, еще и выиграю сотенку-другую. Говорят, новичкам в рулетку везет. Ты меня сегодня подстрахуешь на выходе? Время вечером есть?

Время есть, но не подстрахую.

— Извини, Георгий, у меня билет на вечер оргазмной музыки. Еле достал. Вон, с Васькой Роговым договорись. Он мужик безотказный. На всякий случай имей в виду, что в казино на воротах обычно обыскивают, так что пушку оставьте в отделе.

— Правда, что ли? — обиженно удивляется Жора.

— Абсолютная. Ну, если только с Ильичом, чьи заветы, договоришься...

— Они ж, гады, отстучат Людоеду... Ничего, я его, козла, за бабку убитую... Ты точно подстраховать не сможешь?

— Мне очень жаль, Георгий...

Жора вскакивает со стула, замечает в окне участкового инспектора Васю Рогова и мчится на улицу, забыв у меня на столе свой «склерозник». Радость у коллеги, моральное удовлетворение. Понять можно. Я как человек, отлично знающий Георгия, заявляю прямо — это не из-за джипа.

Утром я навестил зубного, избавился от кариеса и к полудню прибыл на пост номер один, который располагается в моем кабинете. Не успел я раскрыть свежий номер «Таймс», как слух мой потревожил характерный стук двери о стену. Только один человек на свете умеет так открывать мою дверь, и я даже не отрываю глаз от передовицы.

— Андрюхин!

Оперуполномоченный Жора возбужден, как бык перед случкой, сияет смесью радости и счастья, из чего легко догадаться, что операция «Казино» прошла успешно.

— Да! В жилу! В кость! — Жора подтверждает догадку и победно вскидывает вверх руки, словно футболист, забивший гол. Он плюхается на стул, смачно прикуривает.

— Повязали мы Людоеда! Там, в «Заветах Ильича».

— Ну рассказывай, рассказывай,— тороплю я.

— Пришел он часиков в десять. Сразу к столу. Поставил две фишки на черное. Пролетел. Пошел выпил в баре. После за покер уселся.

— А ты-то где был?

— Да тут же! С восьми часов. Сначала в блек-джек, потом в рулеточку. В зале, думаю, тормозить опасно — вдруг у него ствол, еще положит кого-нибудь. Решил дождаться, когда он из клуба выйдет,— там Васька в засаде сидит, он его и повяжет. А я сзади помогу.

Так и вышло все. Выполз он где-то в третьем часу, проигрался вдрызг. Я сразу прикинул — раз ему не везет, то повезет нам. Стал он тачку ловить, Васек и подсуетился. «Куда, командир? Тачка за углом, беру недорого, с ночной скидкой».

За углом мы его и оприходовали. Он даже не сопротивлялся, упал на землю, как велено было, сразу после первого стакана.

— Какого стакана?

— Ну, которым Васька ему по репе... А чем еще? Стволы оставили, а стакан у Васьки всегда с собой.

— Понял. Стакан цел?

— Разбился. Да и ладно... Я, как и задумывалось, Людоеду ультиматум — либо сдаешь, кто бабку в Бестолковом кончил, либо сам кончишься. Мы люди слова. С понятиями. Выбирай.

— И что, сдал?

— А куда деваться-то Людоедику нашему? Как я и предполагал — со слезами радости на раненом лице. Ему ж пятнаха светит за похождения, а тут такой презент. Это ж психология, Андрюхин! Ты бы тоже сдал.

7*

— Ну и кто бабулю замочил?

— Сам он их не знает, про них ему баба одна рассказала. Шлюха гостиничная. Можно ее установить. На прошлой неделе Людоед с ней в ресторации сидел. Гостиница «Голубая луна», знаешь, рядом тут?

— Знаю.

— Вот там у них разговорчик за жизнь и зашел. Причем она первая затеяла. «Слыхал, бабку тут банкирскую отоварили?» — «Нет».— «А я знаю кто. Двое из Простоквашино. Один длинный, другой маленький, хромой».

— Она-то где с ними сошлась?

Жора пожимает плечами:

— Людоеда это не очень-то интересовало, не спрашивал. А сойтись где угодно могла, в той же «Луне».

— Возможно.

— Нам бы ее отловить. Хорошо бы на клиенте. И тоже поторговаться — либо сдавай пацанов из Простоквашино, либо...

— Что либо?

— Статья же есть за проституцию.

— Да нет уже вроде. Есть за заражение венболезнями.

— Жаль. Тогда — либо в морду получишь.

— Разумная альтернатива. Ты данные телки-то знаешь? Людоед сказал, где ее искать?

— Звать Ленкой. Кличка — Дерьмовочка. Лет двадцать пять. Фиолетовые волосы и наколка на голени. Постоянно пасется в «Луне». Найдем.

— Фиолетовые? Жор, а может, она — не она? А он? Гостиница-то — «Голубая».

— Да что, Людоед мужика от бабы не отличит? Не говори чепухи. Слушай, я у тебя блокнот свой не оставлял? — Жора умеет плавно перейти от одной темы к другой.

— Вот он,— я кивнул на забытый им вчера блокнот.

— Ага, спасибо. Я так и думал — либо здесь, либо в дежурке.

— А с Людоедом-то ты что сделал?

— Как и договаривались,— исключительно серьезно отвечает Георгий,— выпустил. По понятиям. Услуга за услугу. Я, конечно, опер молодой и, если оперативной смекалки у меня пока нет, что такое честь офицера — хорошо знаю.

Я не комментирую. Жора, несомненно, прав. Даже если Носорогов выдумал и «Луну», и фиолетовые волосы. Скорее всего, выдумал. Когда пятнадцать лет перед рогатым носом мелькает, сочинишь «Преступление и наказание»-2.

— Ты как насчет «Голубой луны»? — деловито интересуется Жора.

— Что — как? — прикидываюсь веником я.

— Прогуляться сегодня. Посидим в баре, понаблюдаем. Фарт идет, Андрюхин, фарт. Пока фартит, надо пользоваться. Зацепим мы фиолетовую, одним местом чую.

— Каким?

— Одним. Ну что, пособишь?

— Извини, Георгий. Я сегодня иду на концерт группы «Голову отстрелило». Еле билет достал.

— Жаль. С тобой бы мы ее быстро поймали.

— Мне самому жаль. А ты Васю возьми. Снова.

— Придется. Если разбужу. Он вчера психологическую нагрузку снимал. В моем кабинете. Сейчас спит.

— Ну, желаю удачи. Банк-то, кстати, сорвал вчера?

Жора теряет мажорный ритм, трагически мотая головой:

— Ты прикинь, Андрюхин, получаю я на руки «фиш-стрит»! Самый настоящий, без дураков. А этот конек в бабочке свои карты раскидывает, нелегкая его задери,— «фиш-рояль»!

Я не знаю, что такое «фиш-стрит», а тем более «фиш-рояль», но по интонации друга понимаю — полтонны Жориных баксов перешли в доход казино «Заветы Ильича». Вернее, не Жориных, а того парня...

— Жальче всего, что сначала я стошечку-то поимел. Остановиться бы, да этот Носорогов сидит и сидит... Пришлось и мне.

— Зачем? Шел бы на улицу, к Ваське, ждали бы его спокойно.

— Ну да! Людоед — ушлый, ухо востро! Вдруг через черный ход слинял бы?.. Но ничего, я эту пятисоточку с банкира стрясу. Скажу, потратил из личных сбережений, чтоб убийц мамаши вашей найти. Компенсирует с процентами!

— Не сомневаюсь,— поддерживаю я друга Жору.— Но в гостинице не повторите вчерашней ошибки.

— Да я вообще-то не играю...— Жора поднимается и идет к двери.— Случайно вышло...

Блокнот остается на столе.

На концерт группы «Голову отстрелило» я попасть не смог, как бы этого ни хотел. Просто сегодня мое ночное дежурство, а музыканты вряд ли приехали бы в наш отдел из-за моей к ним любви. Им тут и петь-то негде, разве что в дежурной части, в «аквариуме».

Ночь прошла на удивление спокойно — кроме перестрелки возле метро, ничего примечательного. В семь утра я мирно спал на составленных в ряд стульях, мирно укрывшись шинелькой, и видел во сне пьяных лилипутов, занимающихся любовью.

Лилипутская оргия оборвалась от тревожного стука в дверь. Не в их, лилипутскую, а в мою, кабинетную. Матерясь по-гулливерски, я вылезаю из-под шинели и открываю замок. На пороге — взъерошенный, как медведь после спячки, Георгий. И рожа у него медвежья.

На Жоре — костюм-двойка зеленого цвета, белая сорочка с оторванной верхней пуговицей, желтые носки и темно-красные ботинки со стоптанными каблуками. Из левого кармана пиджака выглядывает скомканный галстук-«бабочка», из правого — горлышко зеленой бутылки. Ширинка расстегнута. Георгий пьян.

Он проходит мимо меня, видит составленные в ряд стулья и, не теряя ни секунды, валится на них. Прежде чем отключиться, жестом манит к себе и, когда я наклоняюсь, шепчет прощальные слова, будто смертельно раненный солдат:

— Поклянись, что найдешь его.

— Клянусь. А кого?

— Пиши... Сейчас, друг.

Жора сглатывает слюну. Несет от Георгия — даже не знаю, с чем и сравнить.

— Леха Замойский...

— Это он убил старуху?

— Нет... Но он знает кто. Найди его, Андрюхин, найди... Адрес есть в моем блокноте. Блокнот тоже найди. Я его в дежурке оставил, кажется...— Голос Георгия затихает с каждой секундой, силы оставляют опера: — Слышишь, Андрю... Друг... Най...

Все. Жорина рука падает на пол. Прощай, друг. До утра.

Я предусмотрительно открываю форточку, забираю шинель и отправляюсь нести дежурство на скамеечку для посетителей в паспортном столе.

— Простите, вы последний? — приятный, вежливый голос будит меня на рассвете.

Я вскакиваю со скамеечки, гляжу на часы. Девять утра. Передо мной — женщина из гражданского населения.

— Да. С ночи занял.

— Скажите, что я за вами. Я через полчасика подойду.

— Хорошо, скажу.

Я сворачиваю шинель, покидаю приемную паспортного стола. В дежурке тишина, стало быть, перестрелок больше не случалось.

Разбудить Георгия удается к десяти часам. Ради него пришлось пропустить утренний развод у начальства. А так хотелось попасть... Как на концерт «Головы».

Минут десять после побудки Жора сидит молча, икает и смотрит в пол. Потом с укоризной поднимает тяжелый взгляд:

— Андрюхин, это ты?

— Да, Георгий, это я.

— А что было?

— Была любовь. У вас ширинка расстегнута.

— Пить.

— В правом кармане.

— Спасибо.

Жора зубами вырывает пробку и вливает в себя остатки ликера. Ликер действует омолаживающе, и на лицо друга возвращается здоровый румянец. Через минуту-другую возвращаются память и способность к анализу. Жора ставит бутылку под ноги, застегивает ширинку.

— Значится, так, Андрюхин. Сходил я в «Голубую луну». Так себе мотель. Сантехника финская, а клопы, один черт, наши.

— Нашел Ленку?

— Обижаешь. Я — да не найду? Пришли мы с Васькой в кабак, заказали по пиву. По маленькому. Пиво, кстати, дорогущее... Четвертак — маленькая, совсем офонарели... Часиков до одиннадцати, думаю, посидим, если не притащится фиолетовая, стало быть, не судьба. Васька от меня чуть погодя отсел. Мы ж комбинацию целую придумали. Я Ленку снимаю, тащу в номер, потом свет гашу, навроде сигнала. Васька и врывается. Под видом полицейского нравов. Ну и на бабку сразу колет. А если колоться не будет, тогда в отдел тащим и здесь уже карты раскрываем.

— Можно уточняющий момент? — перебиваю я комбинатора.

— Пожалуйста.

— Вы на какие копеечки планировали снять номер и Ленку?

Жору вопрос не смущает:

— У Борьки занял. Пятисоточку.

— Тысяч?

— Зеленых!

Борька — третий оперуполномоченный нашего отдела.

— А у Борьки откуда?

— Изъятые! По акту! Я Борьке расписку написал. Все как положено. Фигня, банкир вернет. Для него это что жвачку купить.

— Везет вам с Борькой. Только зеленые и изымаете.

— Не только.

— Не сомневаюсь. Ну и что с Ленкой?

— Часиков в десять она подрулила. Намазанная, как кукла. Вправду фиолетовая, не обманул Людоед. Я к ней: «Привет, Ален, не узнаешь?» Она обалдела поначалу, не узнала, конечно, но, когда я баксами светанул, сразу вспомнила. Повеселела, а то какая-то суровая была, словно Мюллер на допросе. Слово за слово, я пару ликеров в баре взял, пару бренди — и в номера. Васька, как и условливались,— под окна сигнала ждать.

Бутылочку-другую скушали, покалякали. И за любовь. Прикинь, все баба умеет.

— Тогда, может, у меня стекло в окне вставит? А то дует.

— Она — в другом смысле. В процессе втирания я «пробивочку» и устроил. Вдруг сама расскажет про бабку? И точно! «Да, знаю, Леха Замойский про них верещал. Это корешки его. По зоне вроде». Я на радостях третий бутылек раскупорил.

— А Василий?

— Да он меня и разбудил. В шесть утра. Я как-то забыл про него. Он ведь под окошком так и ждал сигнала. Вломился в номер, баран, разорался. Подумаешь, свет не выключил, чего орать-то?

— А Ленка?

— Ушла, наверное. Не было ее в номере. Да и зачем она нам теперь? Главное, Замойского сдала. Чуть-чуть осталось, Андрюхин. Скоро на джипе кататься будем.

— Если выживешь.

— Почему это я должен не выжить? — обидчиво спрашивает Жора.

— Ты у Ленки справку спрашивал? Насчет состояния физического здоровья? Может, она туберкулезница или, еще хуже, кариесная?

— Да чистая она! Сама сказала.

— Через три дня узнаешь. Денег-то много прогудел?

— Да мелочи... Баксов двадцать всего. Насчет номера по ксиве договорился, на ликер потратился да на пиво.

Жора лезет в пиджак, достает сморщенный бумажник, открывает...

Минута молчания. Почтим память американских денег вставанием.

— Ксивы тоже нет...

— Ничего, Жор, банкир новую выдаст.

Георгий ложится обратно на стулья. Я не умею читать по губам, но фразу «Ну, сука...» узнаю сразу.

— А кто нынче хороший, Жор? Не расстраивайся. Руки целы, ноги целы, все остальное — дело наживное.

Георгий с мольбой смотрит на меня.

— Андрюхин, найди мой блокнот, там есть адрес Замойского. Сгоняй, привези сюда. Я его голыми руками расколю.

Обычно Жора колет в боксерских перчатках.

— Ты что, знаешь Замойского?

— Да, он с моей территории. Судимый.

Жора ложится в дрейф и выйдет из него не раньше обеда.

Последняя просьба — святая просьба. Я открываю Жорин блокнотик и нахожу адрес Замойского. На литере «Б». Вероятно, «блатные». Набираю номер телефона и вызываю блатного Лешу в отдел. Леша с готовностью соглашается и обещает быть через пятнадцать минут. Слово держит. Секунда в секунду:

— Здравствуйте. Замойский. Вызывали?

— Да,— я встаю из-за стола и трясу убитого горем Жору за плечо.— Георгий Александрович, проснитесь, пожалуйста. Я вам человека привез. Замойского. Ты не обращай внимания,— комментирую я блатному ситуацию.— Георгий Александрович трое суток не спал. Работы много.

— Понимаю,— понимает Замойский.

Георгий, к сожалению, пребывает в глубоком забытьи. Как я уже упоминал, забытье продлится до обеда, как минимум. Стало быть, все в моих руках. Помогать товарищу в борьбе — долг каждого честного мента. Придется мне, наверное, и банкиру позвонить, доложить, что убийство раскрыто. Банкир же волнуется, ждет. Нельзя терять ни минуты.

— Садись,— строго приказываю я Замойскому.

— Куда?

Все стулья заняты Жориным организмом. Я подгибаю другу ноги.

— Сюда!

Замойский садится. Георгий выпрямляет ноги.

— Значит, слушай вдумчиво, красавец. Я тоже третьи сутки не сплю, а поэтому, если услышу хоть слово лжи, пришибу на месте. Рядом с Георгием Александровичем ляжешь.

— Расскажу все, поверьте. Спрашивайте.

— То-то. Дерьмовочку знаешь? Фиолетовую? Шлюху из «Голубой луны»?

— Так точно. Знакомы.

— На прошлой неделе ты рассказывал ей про убийство бабки в Бестолковом переулке. Мамаши банкирской. Было такое?

— Было,— не пряча глаз, отвечает Лешка.

— То есть тебе известно, кто убийца?

— Никак нет. Не могу знать.

— Как это не можешь? Ты Ленке и приметы убийц назвал, и хвастал, что зоны вы вместе топтали.

— Верно.

— Стало быть, ты с ними знаком? Иначе откуда приметы?

— Так еще бы мне приметы не знать! Один — длинный, второй — маленький, хромой. Мне их вот они, Георгий Александрович, лично дали.— Замойский осторожно косится на храпящего Жору.— И сказали, чтоб я поспрашивал аккуратненько у корешков блатных. А как расспрашивать? Опасно ведь. Мне Георгий Александрович тогда очень умный совет подсказали. Ты, мол, говори, что их знаешь, и смотри за реакцией. А так — откуда мне их знать? Я отродясь с мокрушниками не водился...

...Жора улыбается во сне. Наверное, видит себя за рулем джипа «Сиртаки» с полными карманами баксов, новенькой ксивой и только что полученной справкой об отсутствии у него, Жоры, вензаболеваний. А следом за джипом бежит Людоед, желающий сдаться... Мне так не хочется будить Георгия Александровича. Я же не садист.

Через три месяца убийство бабки раскрылось. Почти само собой. Банкир свою мамашу сам же и пристукнул. Ворчливая была мамаша, все сынка жизни учила. Ну и доучилась. Не удержался как-то сынок и приложил ей слева. А много ли старушке надо? Упала, головушку разбила и преставилась. Банкир тогда байку с ограблением придумал. И для пущей натуры пообещал ментам-сыщикам джип подарить.

Сдала банкира милая сердцу жена, когда они развод затеяли да имущество делить стали.

На первом же допросе банкир в убийстве признался. Но джип, паскудник, так и не подарил.

КАРАМЕЛЬ-3

В каком-то научном журнале о жизни фауны я вычитал, что, с точки зрения кошаков, Господь создал людей с одной целью — кормить этих самых кошаков. Вероятно, с точки зрения моего собрата по ремеслу Жоры, я существую на белом свете исключительно чтоб добросовестно и самоотверженно вкалывать вместо него. Возможно, я немного заблуждаюсь, но ничего другого в голову не приходит, когда в очередной раз Жорин кислый лик возникает в дверном проеме моего кабинета. Именно с таким выражением физиономии он обычно просит поможения в оперативно-розыскной деятельности, коей мы вынуждены заниматься по долгу службы. «Если ты откажешь, я покончу с собой из табельного оружия»,— сообщают мне бездонные Жорины очи, поэтому я стараюсь не отказывать. В настоящую секунду взгляд коллеги полон такой безысходности, что застрелиться хочется самому.

— Беда, Андрюхин,— коротко сообщает Жора, переступая порог,— это конец.

— Это не конец, Жора. Жизнь прекрасна, поверь.— Я убираю со стола тяжелую пепельницу и киваю на стул, предлагая коллеге сесть.— Рассказывай про беду.

Нет смысла приводить Жорин монолог дословно, во-первых, он обильно приправлен бульварной лексикой, а во-вторых, вы еще решите, чего доброго, что в уголовный розыск берут людей с белой горячкой. Поэтому ограничусь конспективным пересказом услышанного.

Где-то полгода тому назад постовые милиционеры схватили господина без определенного места жительства, который под покровом ночи свинтил медную катушку лифта, дабы впоследствии сдать ее в пункт приема цветных металлов и заработать на стаканчик алкогольных продуктов. Жора занялся господином, и тот после изнурительного допроса признался, что таких катушек за последний месяц свинтил аж сто четырнадцать штук, нанеся непоправимый материальный урон лифтовому хозяйству района и моральный — жильцам. Посадив злодея в камеру, Георгий взял в руки калькулятор и принялся за математические расчеты.

К слову сказать, основным показателем нашей работы был, есть и остается так называемый процент раскрываемости — количество раскрытых преступлений на количество зарегистрированных. Низкий процент испокон веку считался самым страшным грехом в ведомстве. Если не смертельным, то около того. Могут позорно отлучить от службы. Жоре по разным причинам не очень везло с этим дурацким показателем, за что он регулярно стоял с опущенной головой на протертых коврах в больших и малых кабинетах.

Математический анализ, произведенный коллегой на счетной машинке, дал любопытный результат. Если принять от «Лифтреммонтажа» одно заявление о краже всех катушек оптом, то процент почти не изменится. Но если по каждой в отдельности... Хо-хо-хо...

В течение следующего дня, пока пойманный гад отсыпался в камере, Жора ухитрился получить от лифтовиков сто четырнадцать заявлений на каждую катушечку. Что при этом подумали о нем лифтовики, я могу только догадываться. Но это не столь важно. Господина арестовали и отправили в тюрьму, а Жора принялся снимать сливки. В результате такой нехитрой комбинации он мгновенно выбился в недосягаемые лидеры по всем показателям и стал в отделе за героя. По итогам года Жору наградили медалью «За отличную службу по охране общественного порядка», присвоили внеочередное звание и повесили на Доску почета района. В смысле, его мужественную фотографию. Начальство ставило Жору в пример и на ковры больше не выдергивало. Мой друг расслабился и теперь спокойно покуривал в кабинете, закинув ноги на стол, словно американский коп, и метал дротики от дартса в развешанные по стенам ориентировки.

Кердык подкрался, как это обычно и случается, незаметно. Любителя цветных металлов неожиданно оправдали в суде по политическим соображениям. Он, оказывается, был не просто бомжом, а беженцем из горячих точек, лишившимся всего личного имущества в результате неграмотной политики правительства на Кавказе. Дабы скандал не достиг ушей мировой общественности, мужика по-тихому выпустили из зала суда, а дела вернули на доследование, предложив органам найти истинного похитителя катушек. Которого, как явствует из вышеизложенного, не существовало в помине. Интерактивное шоу на местный манер. В итоге сто четырнадцать заявлений из плюса превратились в минус со всеми бурно вытекающими отсюда последствиями. Мнение начальство по этому поводу было сейчас почти дословно пересказано мне бедным Георгием:

— Палыч дал шесть месяцев сроку, чтоб все вернуть назад. То есть полгода,— закончил печальную повесть мой незадачливый друг и опустил голову на грудь.

— А если не сможешь? Выгонит?

— Нет. Просто застрелит. Сказал, отведу за гараж и кончу.

— Палыч сделает,— согласно кивнул я.

Палыча понять можно. Палыч — это наш начальник. Майор Шишкин.

Вообще-то он мужик неплохой, в отделе уже лет десять. Шибко не зарывается, карьеру не делает, «крышует» помаленьку над местными торгашами, не при службе собственной безопасности будет сказано. Без лишней нервотрепки и конфликтов с вышестоящим начальством. Отдел в крепких середнячках, особых претензий к Палычу нет, что ж не работать? А тут всякие экспериментаторы с калькуляторами, из-за которых могут и с должности попросить, а то и на пенсию отправить, благо выслуга позволяет. Волей-неволей за пистолет схватишься. Что на пенсии делать? Скучно на пенсии.

— Он, что ли, будет детишек моих воспитывать? — продолжает ныть Георгий.— Он, горлопан, их в люди выведет?!

— У тебя ж вроде нет детей.

— Нет, так будут.

— Не горюй, Жор. Полгода — большой срок. Может, Палыча снимут, а может, показатели отменят.

— А душа? Душа-то болит!

Да, Жорину душу я в расчет не взял, поэтому крыть нечем.

Георгий сжал виски ладонями и ушел в себя. Нарубить сто четырнадцать «палок» — задача повышенной сложности, все равно что Кафельникова в теннис обыграть в трех сетах. Но играть, в смысле рубить, придется, уходи в себя не уходи.

В кабинет врывается Борька по кличке Укушенный, еще один славный представитель нашего ментовского сообщества. Кличку он заработал, после того как подразнил лошадь, на которой юннаты катали по проспекту граждан. Чего ему пришло в голову состроить кобыле рожу? Ладно был бы сержантом или старшиной, а то офицер милиции. И главное — трезвый ведь! Кобыла смотрела-смотрела на глумление да как цапнет Борьку за носяру. А зубы-то у кобылки о-го-го, что у акулы... В итоге две недели больничного и восемь швов. Борька этот казус из своей биографии тщательно скрывает, рассказывая всем, что нос поранил освобождая заложников. Мы Борьку не подставляем, утвердительно кивая головами. Да, было дело — освобождал.

Сейчас Борька в темных очках, которые маскируют новое увечье — обширный бланш под правым глазом. Теперь все по-честному — травму парень заработал при исполнении. Ехал позавчера в метро и вдруг почувствовал, что какая-то крыса лезет в задний карман брюк. Бориска, как опытный мент, вида не подал, лишь повел глазом на стекло вагона. В отражении за своей спиной засек небритого типа вульгарного вида, похожего на кота помойно-подвального происхождения. Тип, пользуясь давкой, активно прижимался к Борьке, пытаясь выудить бумажник. Но не на того напал, сволочь. Едва пальцы мерзавца проникли слишком глубоко в карман, Бориска резко развернулся и нанес наглецу разящий удар в область головы. Тот рухнул на пассажиров, ошалело вытаращив испуганные глаза. Борис занес руку для повторной атаки, но тут почувствовал неладное. В кармане опять кто-то шарил, но на сей раз не в заднем, а в переднем. Опустив взор, наш друг обнаружил девочку лет четырех, которая держалась за его карман, как за поручень, ибо больше ей держаться было не за что. Дура-мамаша уткнулась в книгу, не думая о проблемах дочери. Пока Бориска анализировал ситуацию, обиженный напрасно мужик поднялся и адекватно ответил на произвол. Совершенно справедливо, кстати. Если тебе ни с того ни с сего будут бить в морду, мы никогда не построим демократического общества... Очнулся Борька на конечной станции, где его привел в чувство дежурный по платформе.

Больше ничего выдающего с коллегой не приключалось, если не считать, что его цапнула оса, которую бедолага решил подрессировать во время дежурства.

— Аврал! — горланит Борис, поднимая осевшую
пыль.— Заложников взяли! Харе тут языками чесать!

— Ты не паникуй так,— отвечаю я, убирая пепельницу
еще дальше.— Сядь, расскажи спокойно, что стряслось.

— Чего там рассказывать?! Вон, три крали у меня в кабинете белугами ревут. У них мужья — компаньоны, фир-
му какую-то держат, барыги одним словом.

— Точно ли барыги? — сразу уточняю я, зная предвзя-
тое отношение Укушенного к господам не рабоче-кресть-
янского облика.

— Точно. Унитазами шведскими торгуют. Вчера с работы не вернулись. А сегодня женам ихним звонки от неиз-
вестных — просят выкуп, по двадцать пять кусков с носа!
Иначе головы по почте пришлем. В посылках. Бабы сюда
и прибежали. Кстати, Жора, живут они на твоей территории, тебе и разбираться.

— Враги кем-нибудь представились?

— Конечно. Чеченами.

— И куда деньги нести? — ожил Жора, забыв о личных
неприятностях под влиянием общественных.

— К фонтану в парке Победы. В три дня. Стоять и
ждать, пока к ним не подойдут. Если денег к трем не будет,
в пять девочки получат первую голову.

— Лохи,— заключает опытный Жора, выслушав условия выкупа.

Он прав, мало-мальски уважающий себя вымогатель
никогда не просит тащить выкуп на встречу и не будет
брать его сам. Грамотные бандиты предлагают оставить денежки в каком-нибудь потаенном месте. А чеченами пред-
ставляются идиоты со слабо развитым воображением.

— Лохи не лохи, а коммерсов вызволять придется.

— У жен есть деньги?

— Откуда? Иначе б не прибежали... Хотя, может, и есть,
но зачем платить, если мы есть, государственные люди?

— Я не о том,— уточняет Жора.— Что мы в сумку заря-
дим? Не бумагу же.

— Найдем, это мелочи. Сейчас полвторого, времени маловато. Садись, бери с жен заяву, а я с «Тайфуном» договорюсь.

«Тайфун» — это маленькое, но гордое внутриведомственное подразделение, помогающее нам иногда обеспечивать правопорядок.

Жора секунду-другую о чем-то сосредоточенно думает, затем переспрашивает:

— Заяву?

— Ну да. Как без заявы? Мы ж не частная лавка. Государство.

— А почему только одну? Ведь теток-то трое?..

Я уже понял, к чему клонит Жора.

— Если мы возьмем одну заяву, срубим одну «палку», а если три?..

— Три «палки»,— мгновенно ориентируется Укушенный, благо работает не в каком-нибудь НИИ охраны труда, а в Министерстве внутренних дел,— только тут случай другой. Мужиков-то оптом похитили, и освобождать мы их будем оптом. Один раз. Если б три, тогда другое дело...

Поправив очки, Борька исчезает за дверью. Жора потирает руку об руку:

— Сколько раз надо, столько и будем освобождать,— бормочет он самому себе.

— Жор,— на всякий случай поясняю я,— здесь не катушки лифтовые, а заложники. Миссия невыполнима.

— Херня! — твердо заявляет воспрявший духом Георгий.— Миссия выполнима! Прорвемся!..

* * *

Не буду долго останавливаться на первой части нашего прорыва, она протекала достаточно традиционно. Ровно в назначенный срок дамочки гуртом подошли к фонтану, держа в руках сумки, набитые старыми нарезанными газетами, и замерли в тревожном ожидании. В трех метрах от них разместился Георгий, повесивший себе на грудь и спину по рекламному щиту китайского ресторана, под которыми укрылся бронежилет. Сэндвичмен, одним словом. Мы с Бориской не маскировались никак, сидя на скамейке с бутылками пива в руках. (Пиво настоящее, которое всегда кстати.) Минуту спустя к женщинам подвалил молодой субъект в спортивном костюме, так же похожий на чечена, как я на греческого героя Геракла. Предположение Жоры сбылось, злоумышленник не имел практического опыта в похищении людей. Он забрал у жен сумки, даже не заглянув в них, сказал: «Большое спасибо» и резво зашагал к выходу из парка. Прошагал ровно три метра, как раз до сэндвичмена. Жора бесхитростно опустил рекламный щит на непокрытую голову субъекта, отчего тот так же бесхитростно упал и забылся. Бойцы «Тайфуна», наблюдавшие за этим из кустов парка, уважительно закивали касками...

В машине молодого человека привели в чувство и экстренно допросили. Друзей-бизнесменов действительно похитили. Но никакие не чечены, а местные районные шалопаи, насмотревшиеся сериалов и новостей из горячих точек. С помощью входившей в банду фотомодели заманили мужичков в специально снятую квартиру. (Не желаете ли культурно-эротического шоу? А кто ж не желает?) Там связали, попутно попинав ногами. Затем позвонили женам и назначили цену. За выкупом отправили младшего, а сами остались в квартире, дожидаясь наживы. Всего в банде шесть человек, не считая фотомодели, средний возраст членов двадцать лет, то есть люди серьезные...

Выходя из парка, Борька заметил ручного верблюда, катавшего публику, и хотел было его подзадорить, но я пресек эту попытку на корню...

Сейчас мы приступили ко второй части прорыва, то есть едем освобождать джентльменов, попавших в лапы криминала. Задержанный лежит в багажнике, места в салоне ему не хватило. Автобус с «Тайфуном» весело катит следом, минут через пятнадцать мы будем на месте, а пока есть возможность обсудить дальнейшие действия. Задача сложная, если учитывать Жорину проблему с «палками». Решено «тайфуновцев» в наши планы не посвящать, экстремалы будут работать втемную. В автобусе три взвода бойцов, поделимся на три группы, и каждая, с интервалом в пятнадцать минут, возьмет штурмом квартиру и освободит своего заложника. Тут же кидаем жребий.

Первым на штурм иду я, затем Борька и последним Жора. Адрес квартиры, где засели бандиты, задержанный назвал с собачьей преданностью в глазах, благо за нашими спинами стоял «Тайфун», бряцая железом и поигрывая резиной. Также рассказал об условном звонке, открывающем заветную дверь. После этого наша основная задача упростилась до ерунды. Лишь бы хватило бензина добраться до места, на месяц для служебного «жигуля» отпущено тридцать литров, и лимит исчерпан еще на прошлой неделе. Я не знаю, почему машина сейчас едет, может, сумела адаптироваться и научилась работать без горючего? Иначе б все равно заставили.

— Кстати,— вовремя вспоминаю я,— заложники унитазами торгуют, а в отделе горшок никакой. Как спасем, пускай спонсируют.

— Мудро,— соглашается Жора,— от завхоза хрен дождешься. Обязательно надо намекнуть.

— Еще не хватало намекать,— возмущается Укушенный,— да они нам в каждый кабинет по очку должны поставить.

Родной отделенческий унитаз вышел из строя полгода назад. Завхоз пришпилил на сливной бачок картонную табличку «Слив не работает» и умыл руки. Борька добавил «Администрация унитаза».

Мы подъезжаем на место, отыскиваем нужный дом — кирпичную девятиэтажку с типовой планировкой. Квартира на пятом этаже, под окна засаду можно не ставить, вряд ли кто рискнет спрыгнуть. Автобус с «Тайфуном» тормозит за углом, мы же, не стесняясь, подъезжаем прямо к подъезду. Я покидаю коллег и в одиночестве иду на разведку. Нахожу дверь и прижимаю чуткое ухо к ее псевдобронированной обшивке. Изнутри льется: «Телится метелица за моим окном», что еще раз говорит о непрофессионализме преступников и полном отсутствии вкуса. Уверен, в их стане процветают алкоголь, никотин, фотомодели, а то и наркотики. Тем хуже для них. Отягчающие обстоятельства. Я спускаюсь вниз, кличу первый взвод экстремалов, и мы начинаем игру «Веселые старты».

По силе впечатлений ни с чем невозможно сравнить задержание, проводимое силовыми подразделениями Министерства внутренних дел. Голливудский блокбастер «Смерч» — жалкая пародия на наш «Тайфун». Фильм «Вулкан» приближается, но до идеала недотягивает. Одним словом, сравнивать тут нечего — после смерча гражданин еще кое-как соображает, после «Тайфуна» — нечем. Лично я никак не могу привыкнуть к подобного рода брутальным зрелищам, ибо по натуре гуманист и человеколюб. По крайней мере, прежде чем применить силу, вежливо представляюсь, если, конечно, позволяет оперативная обстановка.

Сейчас я представиться не успел, мои функции свелись к кодовому нажатию звонка и шагу в сторону. Ударная волна «Тайфуна» ворвалась в легкомысленно открытый дверной проем и устремилась вглубь, оставляя после себя абсолютно голое правовое поле. Первым ее поражающий фактор ощутил отомкнувший дверь толстячок, теперь напоминающий жевательную резинку «Бумер», на которую наступили сапогом. Несколько мгновений назад он был еще мужчиной, теперь этот факт вызывает большие сомнения. Я глубоко вздыхаю, отлепляю «Бумера» от пола, прислоняю к коридорной стене, подбираю его зуб и иду дальше.

Все уже кончено. Тому хлопцу, что в коридоре, крупно повезло, он прилип к полу, а не к сапогам... Этим же четверым... Кто говорит — беспредел, «Тайфун» говорит — традиция. Юмор в ментовских штанишках. Хм, хватит лирических отступлений и метафор. Не фиг людей похищать. Кстати, о похищенных. Где вы, продавцы горшочков, где вы, друзья?.. Друзей я нахожу в спальне, сидящих на полу и прикованных наручниками к батарее. Я поздравляю заложников с освобождением и отстегиваю первого. Он бросается ко мне на шею, едва сдерживая чувства.

— Все позади, дружище, все позади,— успокаиваю я, убирая пистолет за пояс.— Милиция Санкт-Петербурга всегда стоит на защите частного капитала.

Заплакать хочется, ей-богу. Заглядывает командир первого взвода:

— Командир, что с братвой делать? В автобус выносить?

Кошмар какой... Выносить...

— Погоди, старик, сейчас решим.— Я машу сержанту рукой, и мы идем на кухню.

На кухне я выглядываю в окно, поднимаю большой перст вверх, давая понять коллегам, что миссия выполнена, захват осуществлен. Борька довольно кивает в ответ.

— Слушай, старина,— обращаюсь я к сержанту,— братва пусть еще полежит, а ты бери своих бойцов и бегом на проспект. Перекройте движение и ждите нас.

— Понял,— деловито кивает сержант, помня, что приказы не обсуждаются. Перекрыть так перекрыть. Поправляет маску и кличет своих: — Айда, мужики...

Я делаю еще один условный Бориске и возвращаюсь в комнату к заложникам. Террористы спокойно лежат в правовом поле и даже не пытаются посмотреть в мою сторону.

В спальне отстегнутый коммерс сидит на стуле, растирая затекшую кисть.

— Пойдемте в машину,— зову я его с порога.

Бизнесмен поднимается и двигает к двери.

— А мы?..

— Вас тоже освободят. Обязательно,— твердо гарантирую я оставшимся возле батареи ребятам, прижимая руку к сердцу.

Не, а что еще говорить? Рассказывать про Жорины катушки от лифтов? Могу, конечно, рассказать, не жалко, но... Люди и так в шоковом состоянии, зачем же усугублять? Иногда лучше жевать...

В комнате я строго предупреждаю братву:

— Граждане бандиты, в связи с особой опасностью вашей банды у меня есть приказ живых в плен не брать. А поэтому лежим тихо, аки мыши Ясно?!

Ясно. Не Жеглов, конечно, но и они, впрочем, не «Черная кошка». Я ухожу, но, словно Чеширский кот, оставляю им на память свою лукавую улыбку. В коридоре поднимаю сползшего по стене «Бумера» и фиксирую в бойцовской стойке. «Бумер» податлив, словно теплый пластилин.

На лестнице сталкиваемся с человеком в черном по имени Борис и пятеркой молодых людей в масках. Операция «Захват-два». Отдаем честь и уступаем дорогу. Задача у отряда гораздо проще нашей. Во-первых, дверь уже открыта, во-вторых... Да ладно, чего там считаться по мелочам?

— А куда они? — спрашивает меня освобожденный.

— Работать.

Я не вру. Не знаю, как Бориска, но «Тайфун» работать будет. Не на карнавал приехали. «Телится метелица...»

Выходим на улицу. Толпа зрителей (как всегда). Из автобуса выскакивает одна из женщин и с плачем бросается на шею спасенному нами мужу. Окружающие аплодируют. Я скромно улыбаюсь. Не зря работаем, не зря... Подмигиваю Жоре, поднимая большой палец кверху. Жора подмигивает в ответ.

— А наши где?! Живы?! — сквозь аплодисменты доносятся до меня два потухших голоса.

— Живы, дорогие мои девчонки, живы,— по очереди обнимаю женщин и возвращаю их обратно в автобус,— ждите и обязательно дождетесь.

Подбегает, размахивая жезлом, лейтенант ГИБДД:

— Кто старший?

— Ну я старший,— высовывается из автобуса Жора.

— Почему перекрыли проспект?

— Сам, что ли, не видишь? Заложников освобождаем. У бандитов стволы, а ну по машинам стрельбу устроят?

— Это надолго? А то пробка большая.

— Как получится, братишка... Здесь не учения, запланировать нельзя.

— Понял.— Лейтенант включил рацию, но доложить не успел, отвлеченный криками с пятого этажа.

— Стоять!!! А-а-а!!! Ки-й-й-я!!!

Работает «Тайфун». Как всегда, слаженно, быстро, не оставляя врагам никаких шансов на победу. Вылетает разбитое стекло. Собравшиеся зеваки испуганно вскрикивают. Дети ревут, бабульки крестятся.

— Спокойно, граждане! — развожу я руки.— Ничего страшного (смотря для кого), преступники сопротивляются, приходится применять силу.

Народ успокаивается. Из окна квартиры выглядывает довольный Борька.

Молодцы, второго освободили. Наша взяла. Через минуту из подъезда выбегает второй заложник и бросается в объятия любимой супруги (про фотомодель мы, как люди порядочные, женам, естественно, не рассказали). Следом выбегают «тайфуновцы» и прямиком отправляются помогать перекрывать проспект. И, наконец, в проеме возникает усталый Бориска. Без темных очков, представляя на суд публики свой мужественный фонарь. Никаких слов больше не надо, все достаточно красноречиво.

— Ну, теперь моя очередь.— Жора передергивает затвор «макарова» и жестом зовет свою пятерку из «Тайфуна» в бой.— Поработаем, господа. Берем резко.

Я не знаю, кого они будут брать резко. Я не знаю, как отреагируют на их появление те, кто сейчас в квартире. Я не представляю, как последние будут выполнять команду «стоять», «лежать», «сидеть», как они вообще что-либо будут выполнять... Я не удивлюсь, если кто-то из похитителей все-таки вывалится в окно, причем исключительно по собственной воле...

Может, когда-нибудь, где-нибудь, кто-нибудь из членов взятой нами шайки продолжит грабить, воровать, наркоманить или даже свинчивать лифтовые катушки, может, кто-то станет олигархом, вором в законе либо выдающимся политиком, но одно могу сказать с уверенностью — похищать людей они не будут больше никогда. Ни за какие деньги. Человеку, пережившему тройной «Тайфун», это не стоит даже и предлагать.

Борька дразнит ворону. Доиграется, чудак...

* * *

— Хитрые вы, конечно, легавые, с подходцами вашими, но запомните — вирусов у нас на всех хватит!

Жора затолкал кричащего очкарика в камеру и повернул ключ.

— Что это за горлопан? — спросил я.

— Хакер. Лондонский банк шваркнул. Но я его быстро колонул, хоть в компьютерах ни хрена не смыслю. Тут ему не Англия.

Жора достал из нагрудного кармана калькулятор:

— Пять тысяч клиентов! Ого!.. Если с каждого по заяве...

— Кстати, а с заложниками чем закончилось?

— Фигово закончилось,— морщится Жора, пряча счетную машинку.— Прокуратура дела объединила, в зачет только одна «палка» пошла. Обидно, напрасно пахали... Да ладно, прорвемся. Ты случайно не знаешь, как в Лондон звонить?

СОДЕРЖАНИЕ

ТРИ МАЛЕНЬКИЕ ПОВЕСТИ О ЛЮБВИ

РАССКАЗЫ

Литературно-художественное издание

Андрей Кивинов

Клюква в шоколаде

Ответственный редактор *В. Л. Пименова*
Художественный редактор *Ю. С. Межова*
Технический редактор *В. В. Беляева*
Верстка *О. К. Савельевой*
Корректор *В. Н. Леснова*

ООО «Издательство АСТ»
141100, Россия, Московская область,
г. Щелково, ул. Заречная, д. 96
Наши электронные адреса: WWW.AST.RU
E-mail: astpub@aha.ru

ООО «Астрель-СПб»
197372, Санкт-Петербург, ул. Ситцевая, д. 17,
лит. Б, пом. 6-Н
E-mail: mail@astrel.spb.ru

ОАО «Владимирская книжная типография»
600000, г. Владимир, Октябрьский проспект, д. 7.
Качество печати соответствует качеству предоставленных диапозитивов

Андрей КИВИНОВ

КОМА

ИЗ ЛЮБОГО ЛАБИРИНТА МОЖНО НАЙТИ ВЫХОД

Как служить честно, если вокруг вранье? Если при этом не супергерой, а обычный человек? Есть риск стать оборотнем. И переродиться обратно уже не так просто. Самая неоднозначная книга Кивинова.

...Как надоело приглашать на дни рождения не тех, кого хочешь, а тех, кого удобно, кто интересен... И почему, когда прижмет, ты вынужден просить помощи не у своих, а у бандитов, которые помогут не из большой любви или уважения, а потому, что им выгодно тебе помочь. Чтоб после потребовать ответных услуг... Гораздо более серьезных. И ты не сможешь отказать, ведь за твоей спиной нет никого. Кроме джипа «Гранд-Черроки». И любое твое поражение будет воспринято всеми не с сочувствием, а со злорадством...

Андрей КИВИНОВ
Петербургский
презент

знак качества

СПРАВЕДЛИВОСТЬ — БЛЮДО, ЗАКОН — ПРИПРАВА

Смешное и страшное почти всегда рядом, а иногда даже переплетаются. И если воспринимать ситуацию односторонне, то можно просто свихнуться, особенно на такой работе, где каждый день встречаешься со смертью.

...Сидение в кладовой нравилось не всем, попадались нервные, привыкшие к комфорту и начинавшие барабанить в двери и бить посуду. Честно говоря, в этой импровизированной тюремной камере действительно имелся недостаток комфорта — вонь из подвала, чертовский холод, мыши, нехватка свежего кислорода...